여성이라는 예술

일러두기

1. 외래어 표기는 국립국어원의 외래어표기법을 따랐으나 통용되는 일부 표기는 허용했습니다.
2. 인용된 작품은 저작권자의 허락을 받아 수록하였으며, 확인 중인 일부 작품은 곧 정식 허가 절차를 밟겠습니다.

S

001

여성이라는 예술

우리는 각자의 슬픔에서 자란다

강성은·박연준·백은선·이영주 지음

arte

발문

'여성'이라는 전쟁, '여성'이라는 예술

김영옥
(생애문화연구소 옥희살롱 공동 대표)

1. 초대장
: '위험한', '위협받는' 여성들, 다시 새로이 전선을 만들다

'여성 해방'이라는 키워드가 다시 붉게 타오르는 시간을 보내고 있다. 어디에서 무엇을 하든 멀리서 혹은 가까이서 희망과 분노, 열정과 다짐의 심장박동 소리를 듣는다. '우리는 서로의 용기'임을 알리는 불꽃의 이어짐, 2015년부터 지금까지 '페미니즘 리부트'라고 명명된 새로운 역사의 흐름이 도도하다. '#나는_페미니스트입니다' 선언에서 메갈 문화운동으로, '강남역 10번 출구 사건'에서 2018년 미투 운동으로 이어지는 여성인권 투쟁은 한국 여성(인권운동)사에 돌이킬 수 없는 혁명의 흐름을 만들어내고 있다. 새롭다고 말했지만 또한 전사前事/前史를 이어받아 이어 쓰는 전승의 역사이기에 더욱 의미심장하다. 무엇보다 새로운 것은 "페미니즘 리부트"라고○ 불리는 맥락이다. 참고문헌들을 앞에 두고 '참고문헌 없음'을 선포한, 길게는 일제강점기 때부터, 짧게는 40여 년 전부터 한국 사회에 명백히 존재해왔던 여성(주의)운동의 역사를 앞에 두고 페미니즘 원년을 선포하게 만든 이 맥락은 그러나 격랑의 변증법적 움직임 한가운데서 '연결되어 있다'는 믿음을 서서히 개화시키고 있다. 이 믿음은 "등 뒤로 기나긴 끈이 이어져 흔들리고 있다는 느낌, 등과 등이 연결되어 있다는 느낌, '깊이' 닿아 있다는 확신"(박연준)으로 지각된다.

○ 손희정, 『페미니즘 리부트』, 나무연필, 2017.

지금 여기, 한국이라는 지역에서 페미니즘을 리부팅하는 주체들은 자기 안에 결빙된 채 갇혀 있던 다양한 시간대의 동시적 깨어남을 경험하고 있다. 상이한 시간의 경험과 이야기들이 앞서거니 뒤서거니 풀려나면서 만들어내는 형상들은 놀랍게도 구체적이다. 상처와 고통과 불안의 또렷한 자국들이 서로를 알아보기 시작하면서 이미 짐작하고 있던, 그러나 두루뭉술하거나 추상적이어서 정치적 집단행동으로 점화하기 어려웠던 '위험한, 위협받는' 여성의 삶이 삭제되거나 축약되지 않은 모습으로 광장에 서게 되었다. (그동안 '위험한 여성'은 남성의 수직적 자아를 위협하는, 특히 성적으로 위험한 여성으로 기호화되었으니, '여성'이 현실과 상징 모두에서 겪는 모순과 역설, 아이러니는 바로 이 '위험한 여성'에서 응축되어 나타났다.)

『여성이라는 예술』은 이미 제목에서부터 이런 역사적 장의 기운과 파동을 전달한다. 다른 이들보다 상징계와 더욱 밀접한/밀착된 삶을 사는 여성 창작자들은 그만큼 더 '위험한, 위협받는 여성의 삶'을 모순적으로 살아낸다. 일과 사생활의 경계도, 작업 결과와 작업 과정 그리고 작업 과정 중 만나는 사람들과의 경계도 불분명한 이들의 일-삶은 그만큼 치명적 분열과 강도 높은 긴장을 내장한다. 상징계가 이들에게 부여하는 자리 자체가 내부의 외부, 또는 가장자리이기에, '여성' 삶이 처한 저 곤경의 복잡함을 고발하거나 해체하려면 이들은 내부와 외부에 동시적으로 거주하는 자신들의 디아스포라적 실존을 고통스럽게 견뎌야 한다. 때때로 이 견딤은 실패해서 '이중 첩자'의 배신으로 미끄러지기도 한다. 성공한다고 해도 자신들이 사용하는 언어의 비문법, 비체계를 독해 가능하게 만들어야 하는 난제는 매번 고스란히 남는다. 문단 내, 미술계 내, 연극계 내, 영화계 내 등등 문화예술의 각 영역에서 전개되는 미투 운동이 특히 더 '다루기 어려운' 건 이 때문이다. '예술의 이름'으로, 예술의 특수성과 고유성의 이름으로 행해진 많은 폭력들은, 예술이 무엇인지, 예술의 특수성과 고유성이 무엇이어야 하는지에 관한 투쟁에서 결정권을 가지지 못했던 여성들의 '강제된 동의'를 알리바이 삼기 일쑤고, 거절과 고발이 있다 해도 '강요된 화해'로 마감되기 일쑤였다. 여기서 "'여성'이라는 전쟁"은 "'여성'이라는 예술"을 포개어, 이렇게 탄생한 "'여성'이라는 전쟁-예술"은 현실을 살아내는 여성들의 기기묘묘하고 위험한 곡예와 기예를 가리킨다.

활자로 이미지로 몸으로 악기로, 일상과 상징계 모두에서 '자기만의 기호계'를 향해 '분투'하던 이 여성들이 일어서고 있다. 서로서로 팔을 엮어 '우리'라는 칼리그람을 형상화하고 있다. 각자도생인 듯 여겨지던 분투는 비로소 '우리의 정의로운 분노'로 울려 퍼지기 시작했다. 이와 함께 '우리의 경험, 우리의 감응, 우리의 작업'이 어떤 둘레세계Umwelt에서 탄생하는가를 보다 명료하게 알리는 시도들이 확산되고 있다. (물론 이 '우리'는 차이를 억압하거나 부정하지 않는 구성적 '우리'다.) 여성 시인 네 명이 자신들의 시어에서 함께 울리고 있는 다른 여성들의 목소리를 확인하고 있는 이 책은 이런 시도 중의 하나다.

2. 여성 창작자들과 그들의 뮤즈 : '서로 마음'으로 서로 사랑하고 서로 돕다

문화예술계에서 여성은 늘 남성 창작자의 뮤즈로 호명되곤 했다. 여성이 '자기만의 목소리'를 내고 싶을 때, 그 고유성의 신화적 기원으로 삼을 수 있는 뮤즈는 그렇다면 과연 누가 될 수 있는가. 강성은, 박연준, 백은선, 이영주가 그들과 동행하며 그들을 지켜주었던 '내 책상 위의 천사들'을 소개한다. 선배, 스승, 친구, 동시대 여성—어느 시대에 속하든, 어느 연령대이든, 어떤 관계성으로 부르든, 이 여성들은 다형적multi-figural 형상으로 여성 시인이라는 자아를 만드는 뮤즈들이다. 이들은 현재 진행형으로 상징계에 무수한 틈새와 이론, 이명들을 새겨 넣고 있는 중이다. 19세기를 살았던 나혜석이나 이사도라 덩컨, 버지니아 울프도 보이고, 21세기를 살고 있는 김혜순이나 나탈리 포트만, 레이디 가가도 눈에 띈다.○ 이들 뮤즈들과의 조우를 고백하는 것은 비가시적이었을지언정 면면히 이어져온 또 다른 '창의성 계보'에 자신을 기입시키는 행위다. 이 고백은 동일자적 자아 구축을 위해 여성 뮤즈를 동원했던 남성 창작자들의 기만적 소영웅주의와는 다른 길을 간다. 여성 창작자들의 자아는 거미줄처럼 이어지고 연결되며, 물결도 각양각색인 다원을 그린다.

"실비아 플라스를 생각하면 가끔 나는 내가 실비아 플라스 같다. 그녀와 영혼을 함께 쓰고 있는 것처럼 친

○ 이 책에 나혜석의 이름은 등장하지 않는다. 그러나 나는 저자들의 기억 작업에 동참하는 독자로서 나혜석의 이름도 함께 부르고 싶다. 나혜석은 연인으로, 비/시민으로, 어머니로, 예술가로 분열된 정체성을 살아야 했던/하는 여성 자아를 지구/지역 차원에서 사유할 수 있도록 이끄는 중요한 거울이다. 김은실은 나혜석이 결혼 후 '구미 여행'을 떠나던 시기와 시몬 드 보부아르가 『제2의 성』을 집필하던 시기, 그리고 버지니아 울프가 『자기만의 방』을 쓰며 여성의 지적 시민권을 요구하던 시기를 함께 생각해보자고 제안한다(김은실, 「페미니스트 크리틱, 새로운 세계를 제안하다」, 『더 나은 논쟁을 할 권리』, 휴머니스트, 2018). 그리고 김소영은 다큐멘터리 〈원래, 여성은 태양이었다〉(2004)에서 나혜석 콤플렉스를 조명한다.

밀한 느낌이 든다. [……] 그녀가 아직 살아 있다면 우리는 가장 친한 친구 혹은 연인이 될 수도 있었을 것이다. 나는 어쩐지 그녀와 내가 포개져 있다고 여긴다."
(백은선)

백은선의 이 '고백'은 분명 일종의 사랑 고백이다. 그녀의 뮤즈 실비아 플라스를 향한 '마음'을 고백하고 있다. 이 '마음 고백'은 여성 시인들이 자신들의 여성 뮤즈들과 맺는 관계의 어떤 전형을 드러낸다. 여성 시인의 화자인 '나'는 이 세계에서 매 순간 추방당하는 무수한 몸-목소리들이 등장하는 무대이며, 여성 뮤즈들은 때론 뮤즈로 때론 추방당한 유령으로 이 연행에 동참한다. 이것이 여성이 '시하는' 고유의 방식이다. 이 고유의 방식을 김혜순은 "내가 시를 쓰기 시작하면 영감이 아니라 유령이 솟아오른다. 꿈속을 보게 하는 희미한 빛처럼 저쪽의 사물들이 피어오른다"○는 말로 표현

○ 김혜순, 『여성, 시하다』, 문학과지성사, 2017, 38쪽.

한다. 남성 창작자들이 영감을 위해 뮤즈가 필요하고, 그 뮤즈-영감을 밟고 '이쪽/내부/아버지 나라'의 사다리를 오르고자 할 때, 여성 창작자들은 여성 뮤즈들과 함께 유령들, '저쪽/외부/바리데기 나라'의 실존을 언어화하려 한다. 『여성이라는 예술』을 채우고 있는 여성들은 각자의 언어로, 형상으로, 행동으로, '투신'으로 저 외부의 실존을 언어화하고 있다. "'여성'이라는 전쟁-예술"을 몸으로 연행한다. 이 연행은 통렬한 역설이다. 그동안 남성들의 근대적 주체화 과정의 일환으로 발명된 '여성이라는 무질서'나, 포스트근대적 자기반성의 일환으로 호명된 '여성이라는 은유', 고대부터 근대 후기에 이르기까지 남성/인간의 섹슈얼리티 이해를 위해 변주되어 온 '여성이라는 병, 히스테리' 등을 떠올려 보자. 이 일련의 발명들과 호명들 사이에서 "'여성'이라는 전쟁-예술"은 결코 쉽지 않은 의미화 투쟁을 벌이고 있다. (나는 그래서 기호로서의 '여성'을 부각시키기 위해 "'여성'이라는 전쟁-예술"이라고 표기하고 있다.) 이 투쟁이 성공해야 앞선 '여성이라는 무엇' 하는 식의 어법들의 전복이 가능하다. 이 전복이 힘 있게 지속되어야 여성들을 무수한 반복 속에서 '○○녀'로 부르는 여성혐오가 사라질 수 있다. 서로 이름을 부르며, '서로가 서로의 용기'임을 확인하며, 때론 마주보고 때론 같은 곳을 향하여 나아가는 '나'들이 "'여성'이라는 전쟁-예술"을 '여성'도 '예술'도 자유롭고 평화로운 어떤 충만한 표현의 나라와 삶의 시간으로 이끌 것이다.

기적은 일어난다. 기다림은 다시 시작되었다.
드물게 느닷없이 하강하는
천사에 대한 그 오랜 기다림이○

3. 에필로그

"살면서 종종, 어디서부터 뭐가 잘못된 거지?라는 물

○ 실비아 플라스, 「장마철의 까마귀 떼」, 『실비아 플라스 시 전집』, 마음산책, 109쪽.

음이 떠오를 때가 있다. 지금 내가 갖고 싶은 건 아름다운 책이 아니라, 아름다운 책을 읽던 그 시간이다. 책 속으로 순식간에 빨려 들어가 압도되어 설레는 마음으로 쉽게 잠을 이루지 못했던 그 시절."(강성은)

강성은의 이 문장은 나와 내 페미니스트 친구들이 함께 누렸던 '아름다운 시간'으로 나를 데려간다. 거의 16, 7년 전 우리는 안티고네로 분장하고 크레온 왕과 맞짱을 떴으며, 차학경의 『딕테』와 파울 첼란의 『죽음의 푸가』를 돌아가며 낭송했다. 시어들은 비장하고 검고 치열했지만 함께 서로의 목소리로 그 시어들을 낭송하는 '우리'는 행복했다. 분노와 저항과 절망과 보장 없는 시도의 담대함을 공유하며 우리는 '시스터 아웃사이더'의 정체성을 기쁨으로 축하해줄 수 있었다. "절망도 저항의 일종"(이영주)임을 서로 확인해주는 시간이었다.

이 책의 저자들이 고백하는 여성 시의 '터'는 여성주의 인식이 싹트고 자라나는 '터'와 크게 다르지 않다. '여성 자아'의 구성과 현실 속 경험을 염두에 두고 있는 여성이라면 누구라도 이들이 '사랑의 마음'으로 불러내고 있는 저 여성들과 대화를 나누며 설레던 추억들을 갖고 있을 것이다. 특별히 초대받고 특별히 대우받았던, 조촐하면서도 빛나는 그 만찬의 에너지를 여전히 간직하고 있을 것이다. "비명이 날개가 될 수 있도록"○ 서로를 경탄하며, 서로의 발걸음을 돕는 만찬은 끝나지 않았다. 점점 더 많은 유령들과 추방당한 자들과 몫이 없는 자들이 이 만찬에 초대받고 있다. 오늘 이 초대장을 보낸 이들은 강성은, 박연준, 백은선, 이영주. 고마워요, 그대들.

○ 이원, 「시를 쓰면 비명도 날개가 된다」, 『최소의 발견』, 민음사, 2017, 35쪽.

차례

여성이라는 전쟁

강성은

×

아고타 크리스토프

엘리너 파전

다이앤 아버스

김혜순

"왜 우리가 연결되어 있다고 느끼는 것일까.

내가 20세기를 통과해온 탓일까.

일상이라는 전쟁의 무게가, 여성이라는 전쟁의 무게가

여전히 나를 짓누르고 있기 때문일까.

시를 쓰는 섬세한 마음으로는 이 세계를

견딜 수 없기 때문일까."

심장이 하는 말

'여성 예술가'라는 말에 제일 먼저 떠올린 사람은 아고타 크리스토프다. 아고타 크리스토프는 1935년 헝가리에서 태어났다. 태어나고 성장하는 내내 전쟁을 겪었고 스무 살 무렵 전쟁을 피해 스위스로 이주했다. 이주한 뒤 시계 공장에서 일하며 밤에 헝가리어로 시를 썼다. 스물일곱이 되어서야 프랑스어를 배우고 대학에 진학했다. 그리고 프랑스어로 소설을 쓰기 시작했다.

아고타 크리스토프의 작품을 읽어본 친구가 그녀의 문장이 초등학생의 문장 같다고 말한 적이 있다. 그때 나는 갸우뚱했는데 나중에 생각해보니 그 말이 맞았다. 뒤늦게 배운 프랑스어로 작품을 썼으니 더 즉물적이고 자연스러워 문장 하나하나가 꾹꾹 가슴에 박혔던 듯하다. 담담하고 가벼우면서 의미심장한 문장들. 아주 단순하고 간결한 문장들이었다. 그리고 슬펐다. 이렇게나 담담하게 깊은 고통을 이야기할 수 있다니. 나는 그녀의 소설을 시로 읽었다.

아고타 크리스토프를 생각하면 대학 시절이 떠오른다. 문창과에 들어가긴 했는데 시와 소설은 어떻게 써야 하는 건지, 써야 되니까 쓰긴 하는데 내가 봐도 형편없는 글이었다. 합평 시간마다 부끄러워서 쥐구멍에 숨고 싶은 기분으로 고개를 처박고 있었다.

그 시절 학교 도서관에서 우연히 『존재의 세 가지 거짓말』(까치, 1993)을 읽었다. 충격이었다. 성장소설의 형식을 빌리고 있지만 위험한 수위를 넘나들고 있었다. 거기에는 아름다움과 불안함과 고통과 냉소, 은유와 알레고리와 상징이 마구 뒤섞여 있었다. 내가 읽은 수많은 소설과 달랐다. 마치 시를 읽는 기분으로 읽는 내내 숨이 막혔다. 그리고 책장을 덮은 후에 이렇게 아름다운 것이 문학이라면 도저히 나는 다가가지 못하리라는 절망감에 사로잡혔다. 왜 나는 넘보지 못할 일에 뛰어들어 꾸역꾸역 비참함을 감수하고 있는가 탄식했다.

『존재의 세 가지 거짓말』은 원래 아고타 크리스토프가 각기 다른 시기에 출간한 세 권의 소설『커다란 노트』,『증거』,『세 번째 거짓말』을 우리나라에서 하나의 장편소설로 번역 출간한 것이다. 연작소설로 보아도 무방하기 때문이다. 내가 도서관에서 읽은 당시에는 책이 절판된 상태였다. 헌책방을 아무리 돌아다녀도 구할 수 없었다. 아름다운 책들은 왜 그렇게 도서관에만 가득했는지. 내가 가질 수 없는 것들은 왜 더 아름다워 보였는지. 당시로선 알 수 없었다.

살면서 종종, 어디서부터 뭐가 잘못된 거지? 라는 물음이 떠오를 때가 있다. 지금 내가 갖고 싶은 건 아름다운 책이 아니라, 아름다운 책을 읽던 그 시간이다. 책 속으로 순식간에 빨려 들어가 압도되어 설레는 마음으로 쉽게 잠을 이루지 못했던 그 시절. 형편없는 처지와 막연한 미래를 애써 감추며 오직 숨을 곳이라고는 책밖에 없었던 그 시절, 내게 없는 아름다움을 찾으려고 그토록 매달렸던 그 시간이 이제는 더 이상 내가 가질 수 없는 것이라는 걸 안다. 글을 쓰는 사람이 되고 나선 온전히 몰입했던 독자로서의 시간이 도통 주어지지 않았다. 고통스럽고 아름다운 글을 읽는 일은 시를 쓰는 행위와 비슷하다. 이제 나는 쓰는 행위를 통해 지난날의 밤들을 재현해야 하는 것이다. 쓰는 사람이 되고 난 이후로 나는 행복한 독자로 돌아가기를 늘 꿈꾼다.

유년 시절의 계집애들이 하던 고무줄놀이가 아닐까, 시 같은 것은. 점점 새로운 세계로 나가는 것. 자꾸 고무줄 높이를 높이면서 고통을 즐기는 것, 고통을 즐기는 것!○

아고타 크리스토프는 나를 점점 더 새로운 세계로 나아가게 만들어주었다. 그녀가 겪은 세계와 그녀가 만들어놓은 세계는 나의 세계와 무척 달랐다. 나는 불행이 아름다움이 되는 참혹한 시대에 살고 있지는 않다고 여겼다. 내가 사랑하는 동유럽 작가들처럼 고통이 빛이 되는 삶은 내 것이 아니길 바랐다.

그녀가 쓴 글은 모두 자전적인 이야기다. 어떤 식으로 이야기를 가공하고 인물과 정서를 만들어내든 자신의 이야기다. 시를 쓴 지 오랜 시간이 지나서야 모든 시는 자전적이라는 사실을 깨달았다. 그래서 잘 쓴 시가 좋은 시는 아니라는 사실도 알았다. 훌륭한 발상과 표현, 기교나 조화가 꼭 좋은 시를 만들어내는 것은 아니다. 서툴지만 그것을 뛰어넘는 진심이나 진정성이 느껴지는 벅찬 순간에 좋은 시는 탄생한다. 시이기 때문이다.

○ 장정일, 「길안에서의 택시잡기」, 『길안에서의 택시잡기』, 민음사, 1988, 94쪽.

전쟁을 겪은 인간이 쓸 수 있는 것에 대해 생각해본다. 사랑하는 사람들이 죽고 고향을 떠나야 하고 낯선 곳에서 전생과도 같은 지난날에 사로잡혀 있는 사람을 떠올려본다. 그리고 더듬더듬 이국의 언어를 익히고 서툴게 무언가 써 내려가는 희미한 손을 떠올려본다. 그녀의 투박할 것 같은 손을 떠올려본다. 그녀가 쓴 글을 사랑한다. 그러나 나는 모른다.

나는 전쟁을 겪지 않았고 모국어로 글을 쓴다. 그녀의 고통은 나의 고통과 다를 것이다. 그런데 왜 우리가 연결되어 있다고 느끼는 것일까. 내가 20세기를 통과해온 탓일까. 일상이라는 전쟁의 무게가 여성이라는 전쟁의 무게가, 여전히 나를 짓누르고 있기 때문일까. 시를 쓰는 섬세한 마음으로는 이 세계를 견딜 수 없기 때문일까. 나는 자주 책 속으로 도망가고 싶다.

아고타 크리스토프는 고국으로 돌아가지 않고 2011년 스위스에서 타계했다. 지금은 내 노트북 바탕화면에서 담배를 피우며 가끔 눈빛으로 묻는다.

“별일 없습니까?”

별일 없습니다. [……] 이따금 눈이 내리고요.○

○ 아고타 크리스토프, 『아무튼』, 용경식 옮김, 현대문학, 2005, 61쪽.

아고타 크리스토프

Agota Kristof(1935~2011)

○

○

1935년 헝가리의 시골 마을 치크반드에서 태어나 2차 세계대전을 겪었다. 열아홉에 결혼해 스물한 살에 엄마가 된 그녀는 1956년 헝가리 혁명의 후폭풍을 피해 남편과 4개월 된 딸을 데리고 오스트리아를 거쳐 스위스의 뇌샤텔로 건너갔다.

1986년 첫 소설 『커다란 노트(비밀 노트)*Le Grand Cahier*』를 출간한 후 『증거(타인의 증거)*La Preuve*』(1988), 『세 번째 거짓말(50년간의 고독)*Le*

Troisieme Mensonge』(1991) 3부작을 완성했다. 이 연작소설은 전 세계 40개 언어로 번역 출간되었다.

헝가리에서 태어나 스위스에서 살며 프랑스어로 글을 썼던 그녀는 끊임없이 언어를 잃고 배우는 과정을 겪으며 끈질기고도 고집스럽게 글쓰기를 계속해나갔다. 자전소설 『문맹*L'Analphabète*』(2004)에서 그녀는 프랑스어를 "모국어를 죽인 적의 언어"라고 표현하기도 했다.

소설과 함께 희곡 작품을 썼으며 리브르 앵테르상, 고트프리트 켈러상, 실러상, 오스트리아 유럽 문학상, 코슈트상 등을 수상했다. 2011년 7월 뇌샤텔의 자택에서 일흔다섯 해의 생을 마감했다.

마법의 창문을 열어라

책을 좋아하는 아이에게 유년 시절의 기억이란 대개가 책 속의 인물이나 작가들과 나눈 것일 거다. 수많은 작가들이 내 유년의 책장에서 신비로운 이야기를 들려주었다.

토펠리우스의 눈 속에 파묻힌 마을, 안데르센의 아름답고 슬픈 사람, 오스카 와일드의 버림받은 마음들, 미야자와 겐지의 눈물 나게 가난하고 힘든 아이, 엘리너 파전의 엉뚱하고 소박한 사람들.

나중에서야 알게 된 사실이지만 이들에게는 공통점

이 있었다. 모두 시인이었다. 가끔은 그들이 지금의 내 시에 얼마나 많은 영향을 끼쳤는지 생각한다.

그중에서도 엘리너 파전은 나에게 가장 많은 영감을 준 작가다. 그녀의 이야기들은 이상하고 아름답고 섬세하게 반짝거렸다. 환상과 영감과 밝은 빛으로 가득 차 있었다. 유년 시절 내내 그 빛을 피처럼 수혈 받았다. 짧은 이야기들이었는데도 유독 빛이 났다. 엘리너 파전의 이야기는 아름다우며 희망적으로 끝난다. 그것은 동화에서 자주 나타나는 권선징악의 형태가 아닌 마법처럼 작고 소중한 기쁨을 환기시키고 더없이 충만해지는 기분으로 끝맺는다.

가령 최근에 자주 생각나는 이야기.

왕에게는 어린 딸이 여섯 명 있었다. 왕은 머리카락을 가장 길게 기른 공주에게 왕위를 물려주겠노라고 공표했다. 그러자 공주와 유모 들은 머리카락을 잘 빗고 관리하는 일에만 온통 전념하게 되었다. 일곱 번째 공주가 태어나자 왕비는 자신이 일곱 번째 공주의 머리카락을 관리하겠다고 말했다. 일곱 공주들은 서로의 머리카락 길이를 들키지 않으려고 항상 보자기를 쓰고 다녔다.

시간이 많이 흐른 어느 날 다른 왕국의 왕자가 여왕이 될 공주에게 청혼하기 위해 왔다. 왕은 모두를 불러 모아 공주들의 머리에 씌운 보자기를 풀고 서로의 머리카락 길이를 확인해보기로 했다. 길고 탐스러운 머리카락들. 모두 치렁치렁하게 바닥을 덮고 있었다. 그런데 모두 길이가 같았다.

마지막으로 일곱 번째 공주의 보자기를 풀자 아주 짧은 커트머리가 드러났다. 왕은 놀라 도대체 누가 너에게 이런 짓을 했냐고 물었는데 일곱 번째 공주는 바로 어머니라고 말했다.

사실 왕비는 공주를 한 명 낳을 때마다 소원을 말했는데 그것은 봄과 강과 새들과 사람들을 보고 싶다는 바람이었다. 왕비는 궁 밖을 그리워하고 있었다. 하지만 왕이 왕비를 기쁘게 해주기 위해 한 일은 궁에 나무를 심고 연못을 만들고 사냥꾼에게 새를 잡아 오게 하거나 아낙들 몇을 데려와 유모로 만들어주는 일이었다. 왕비는 궁 밖으로 나가지 못했다.

일곱 번째 공주는 여왕이 될 수 없게 되면서 드디어 궁 밖으로 나갈 수 있게 되었다. 산으로 들로 장터로 마구 쏘다녔다. 머리를 길렀던 여섯 공주는 그 이후로도 평생 머리를 자르지 않았고 황금빛 머리카락이 백조처럼 하얗게 변할 동안 머리카락을 곱게 빗질하는 데만 전념하며 살았다.

왕위를 물려줄 후계자에게 요구되는 단 하나의 조건이 머리카락의 길이라니. 이런 터무니없는 요구를 하는 왕이라니. 일곱 명의 왕자들이었다면 가능한 일이었을까. 그런데 일곱 번째 공주가 머리에 쓴 보자기를 벗어젖혀 사내아이처럼 짧은 머리를 드러낸 광경은 모두의 기대를 통쾌하게 무너뜨려주었다. 머리카락을 기르는 것이 인생의 목표가 된 여섯 공주들은 삶의 다른 면모를 돌아보지 못했다. 궁 밖으로 나가고 싶어 하지도 않았다. 의미심장한 이야기다.

엘리너 파전의 동화에 나오는 왕자와 공주는 기존 이야기에서의 그들과는 좀 다르다.

「작은 재봉사」의 로타는 왕자와 결혼할 아가씨들을 위해 수많은 밤을 새워 드레스를 만든다. 세 번의 무도회가 열리기 전에 대기하다가 만난 왕자의 시종과 대화를 나누며 사랑의 감정을 느낄 때 독자는 그 시종이 사실은 왕자였으면 하고 바란다. 로타는 잠도 자지 못하고 일을 하기 때문에 나중에 결혼식 드레스를 만들고 나서는 비몽사몽으로 드레스를 전달하러 간다. 그런데 왕자가 선택한 아가씨가 공개되지 않았다. 이 사실 때문에 독자는 시종이 왕자이며, 로타가 왕자의 선택을 받으리라 확신한다. 그러나 로타가 청혼을 받은 것은 왕자의 시종. 그는 정말 왕자가 아니었다. 로타와 시종이 작고 소박한 시골 교회에서 결혼식을 올리며 이야기는 끝이 난다.

그녀의 동화가 페미니즘으로 해석될 수 있음을 나중에서야 깨닫게 되었다. 어렸을 땐 전혀 모르고 읽었다. 사실 어릴 적 읽을 때 엘리너 파전의 동화는 아름다웠지만 엉뚱하게 끝난다는 생각을 지울 수 없었다. 어린 아이가 읽기에 명확하지 않고 알쏭달쏭하게 느껴지는 부분이 많았다. 결말이 이상하네?라고 생각했던 부분들은 이제 와 돌이켜보면 깊은 통찰력이 담긴 '시적'인 결말이었다.

엘리너 파전은 영국 시인이자 동화 작가이다. 작가인 아버지와 배우인 어머니 사이에서 태어났다. 집 안 어디에나 책이 많았다고 한다. 아래층의 서재뿐 아니라 2층의 아이들 방에도 어머니의 거실에도, 심지어 식당 벽에도 책이 늘어서 있을 정도였다. 그래서 어린 시절부터 파전은 책을 읽지 않는 일을 밥을 먹지 않는 것만큼이나 이상하게 여겼다고 한다.

그녀의 집에는 '작은 책방'이라는 이름의 방이 있었다. 서재나 아이들 방이나 거실이나 식당에 꽂힌 '양서'들은 모두 잘 정돈이 되어 있었던 반면 작은 책방의 책들은 그렇지 않았다. 다른 방의 번듯한 책꽂이에서 쫓겨난 온갖 책들이 무더기로 쌓여 있었다. 그 방엔 한 번도 열린 적이 없어 보이는 유리창이 있었고 햇빛과 먼지가 뿌옇게 내려앉아 있었다. 파전은 그 유리창을 마법의 창이라 불렀다. 자신이 살고 있는 세계가 아닌 다른 세계를 들여다보게 해준 마법의 창. 작은 책방 바닥에 웅크리고 불편한 자세로 오랫동안 책을 읽고 있으면 먼지가 코로 들어오고 눈이 따가웠지만 그녀의 정신은 다른 세계 속을 헤매고 있었노라고.

파전은 시간이 아주 오래 지난 후에도 여전히 자신의 머릿속에는 그 작은 방의 금빛 먼지와 은빛 거미줄이 남아 있으며 자신의 책은 그 먼지가 낳은 책이라고 말했다.

나에게도 먼지로 뒤덮인 유년의 방이 하나 있었다.

외가의 아래채엔 방이 두 개 있었고 다락도 있었다. 방학이면 외가에 살다시피 했던 나는 자주 다락에서 옛날 물건들을 뒤적였다. 아래채는 이모들의 공간이고 벽에는 핸드백 수십 개가 빽빽하게 걸려 있었다. 그리고 여성 패션지와 《리더스다이제스트》 같은 잡지들이 무더기로 쌓여 있었다. 거의 한 호도 빠짐없이 있었기 때문에 연재소설도 읽을 수 있었다. 잡지 말고도 소설책, 일기 등 읽을거리와 볼거리가 끝없이 발견되곤 했다. 외숙모가 밥 먹으라고 부를 때까지 나는 그곳에 틀어박혀 있었다. 그래서 충분히 알 수 있다. 유리창 사이로 부유하던 빛과 먼지들. 과거와 현재, 이곳과 먼 곳. 알 수 없는 일들. 시간이 멈추는 순간을.

파전은 정규 교육을 받지 않았다. 부모는 그녀를 학교에 보내는 대신 집에서 교육하고 자유롭고 예술적인 분위기 속에서 자라나게 했다. 자신만의 공상의 세계에서만 살았던 파전은 삼십 대에야 외부 세계와 관계를 맺고 서서히 작가들과 문학적 교류를 시작했다. 그리고 칠십 대엔 그동안 썼던 작품들을 묶어 『작은 책방』(1955)이라는 책으로 출간했다.

그녀의 생애와 작품을 살피다 보면 에밀리 디킨슨이 떠오른다. 그녀도 에밀리 디킨슨을 좋아했는지 『작은 책방』의 서문에는 에밀리 디킨슨의 시가 인용되어 있다.

> 이 고요한 먼지는
> 신사이고 숙녀이며
> 소년 소녀들이었다.
> 웃음이고 힘이고 한숨이었으며
> 멜빵 치마이자 곱슬머리였다○

나는 파전과 에밀리, 그리고 작은 여자 하나를 떠올린다. 작은 여자들 여럿을 떠올린다. 세상의 모든 작은 여자들을 떠올린다. 먼지 쌓인 다락방 속에서 빛나고

○ 에밀리 디킨슨, 「이 고요한 먼지」, 『작은 책방』 작가의 말에서 인용, 햇살과나무꾼 옮김, 길벗어린이, 2005, 10쪽.

아름다운 것을 만들어내는 작은 여자들. 마법의 창문을
열고 어서 우리에게 그 빛을 나눠 주어요.

엘리너 파전

Eleanor Farjeon(1881~1965)

○

○

1881년 런던에서 태어났다. 소설가 벤자민 레오폴트 파전의 딸이자, 미국의 유명 배우 조셉 제퍼슨의 외손녀였던 그녀는 예술가 집안에서 자랐다. 어릴 때부터 몸이 약하고 시력이 좋지 않아 집에서 교육을 받았다. 하루 중 대부분의 시간을 다락방에서 책에 둘러싸여 지냈다. 일곱 살 때 아버지의 타자기로 글을 쓰기 시작했고, 열여섯 살에 오페라 대본을 써서 주목을 받았다.

1차 세계대전 때 서섹스로 이사했는데, 서섹스의 풍경과 전통은 작품에 지대한 영향을 미쳤다. '마틴 피핀 이야기'가 이곳에서 시작됐다. 『데이지밭의 마틴 피핀*Martin Pippin in the Daisy Field*』(1937) 수록작인 「줄넘기 요정*Elsie Piddock Skips in her Sleep*」에는 '우리 길에서 줄넘기를 하던 서섹스의 아이들에게 이 작품을 바친다'는 헌사가 붙어 있다. 『사과밭의 마틴 피핀*Martin Pippin in the Apple Orchard*』(1921), 『왕과 여왕들*Kings and Queens*』(1932), 『유리 구두*The Glass Slipper*』(1944) 등을 썼다.

동화 작가이자 시인, 극작가, 언론인으로서 런던의 문학계와 연극계에서 광범위하게 활동했으며 D. H. 로렌스, 로버트 프로스트 등 당대의 뛰어난 문인들과 교류했다. 여든넷 평생 결혼은 하지 않았다.

1955년 동화 작품집 『작은 책방*The Little Bookroom*』을 출간한 후 제1회 한스 크리스티안 안데르센상과 카네기상, 루이스 캐롤 문학상을 수상했다. 1966년부터 해마다 아동 도서에 공헌한 개인이나 단체에 그녀의 이름을 딴 상이 수여된다.

내가 제일 좋아하는 건,
결코 가본 적이 없는 곳을 가는 거예요

다이앤 아버스의 사진을 처음 본 것은 막 사진에 관심을 가지기 시작한 이십 대 후반이었다. 어쩌다 어울리게 된 친구들 대부분이 카메라를 가지고 있었고 사진 전공자도 있었다. 그들과 어울리며 나는 사진집이라는 종류의 책에 관심을 가지게 되었다. 도서관에서 두꺼운 사진집을 찾아보게 되었고 〈열화당 사진문고〉 전부를 갖고 싶었다. 그때도 대부분 절판 상태여서 헌책방을 돌아다니며 하나씩 모았지만 끝내 다 가질 수는 없었다. 샌디 스커글런드나 브루스 데이비드슨에 푹 빠졌고 뉴욕 소호의 가난하고 열정적인 예술가들을 떠올려 보곤 했다.

다음 차례는 직접 사진을 찍는 것이었다. 사진을 찍어야겠다고 자연스럽게 마음먹었다. 카메라를 사기 위해 사진 전공인 친구와 남대문으로 강변 테크노마트로 돌아다녔다. 고르고 고른 끝에 결국 캐논 A-1이 내 카메라가 되었다. 나는 자연이나 풍경 사진에는 관심이 없었다. 사람을 찍고 싶었다. 브루스 데이비드슨이 찍은 서커스 무대 뒤편의 난쟁이, 로베르 드와노의 연인들이 보여주는 결정적 순간을 포착하고 싶었다.

그런데 의외의 난관에 부닥쳤다. 낯선 사람들을 향해 아예 카메라를 들이밀지 못하는 것이었다. 그때 나는 알았다. 사진가에게는 사진을 잘 찍을 수 있는 기술만큼이나 사진을 잘 찍을 수 있는 성격이 필요하다는 것을. 부끄럼이 많고 내성적인 나는 할 수 없는 일이었다. 나는 카메라를 목에 걸거나 가방에 넣고 다닐 뿐 찍지는 못했다. 한동안 그저 무거운 카메라를 늘 가지고만

다녔다.

아버스의 사진은 한마디로 기괴했다. 그것은 샌디 스커글런드의 설정된 그로테스크함과는 달랐다. 사진 속의 인물들은 자연스럽게 카메라를 응시하고 있을 뿐인데 왜 보는 사람은 당혹스러운 것일까. 어쩌면 기괴하다는 말은 그들에게 실례일지도 모른다. 그녀가 선택한 대상은 거인, 난쟁이, 맹인, 쌍둥이, 집시, 광대, 복장도착자, 여장 남자, 남장 여자, 나체주의자와 같은 비정상적이고 소외되고 고립된 어두운 세계의 사람들이었다. 당혹스러운 기분으로 그들을 바라보는 나를 확인하게 될 때의 불편함. 그 때문에 다이앤 아버스는 사람들에게서 환호와 비난을 동시에 받았다.

> 나는 내가 찍지 않으면 아무도 보려고 하지 않는 것들이 존재한다는 사실을 정말로 믿는다.○

○ 패트리샤 보스워스, 『다이앤 아버스: 금지된 세계에 매혹된 사진가』, 김현경 옮김, 세미콜론, 2007, 127쪽. 이 글은 전반적으로 이 책을 참고하였다.

다이앤 아버스는 주로 사람들을 사진에 담았다. 처음 그녀는 남편의 보조로 사진 작업을 시작했다. 남편과의 관계가 어긋나기 시작할 무렵부터 혼자서 사진을 찍었다. 다이앤 아버스는 거리에 나가서 낯선 사람들의 모습을 찍고 싶었는데 수줍은 성격이 늘 걸림돌이 되었다고 했다. 다이앤이 가장 힘들어한 일은 누군가에게 포즈를 취해달라고 부탁할 때마다 명치끝에 느껴지는 토할 것 같은 느낌, 즉 수줍음을 극복하는 일이었다.

그런데 어떻게 그녀는 괴상하게 보이는 그들의 모습을 카메라에 담을 수 있었던 것일까. 다이앤은 해골처럼 마른 사람이나 수염이 난 여성처럼 부자연스러운 모습을 보면 자신의 어둡고 부자연스러운 숨겨진 자아를 떠올렸다. '비정상적'인 것이라면 무엇이든 보지 못하게 금지당했던 어린 시절을 떠올리며 인간의 괴상함에 강렬한 공감을 느끼게 되었다.

세 쌍둥이를 보고 있으면 딸, 자매, 못된 소녀라는 세

가지 이미지로 늘어선 사춘기 시절의 나를 떠올리게 돼요. 모두 은밀한 성적 환상을 품었지만, 각기 조금 다르죠.[○]

다이앤은 그들이 불편해할 정도로 찾아가 지속적으로 만나 이야기를 나누며 자신을 믿는다면 포즈를 취해달라고 부탁했다. 그리고 그들이 담담히 카메라를 응시할 수 있게 했다. 난쟁이 모랄레스나 거인 에디 카멜을 찍을 때도 거의 10년 동안이나 함께하며 그 사람의 습관이나 생각까지도 알게 되었다고 한다. 기형이 있는 사람들을 바라보는 그녀의 시선에는 슬픔이나 따뜻함 혹은 동정심이 느껴지지 않는다. 그저 피사체로서 동등하게 그들이 거기 있을 뿐이다. 다이앤은 여전히 매번 새로운 상황에 접근할 때마다 아주 수줍어하고 겁에 질리곤 했지만 곧 두려움은 전율로 바뀌었다. 밤낮으로 아무 때나 부랑자들을 만나 말을 걸고 대화하며 도시를

○ 같은 책, 294쪽.

배회하기 시작했다. 그러나 사진을 찍지 않을 때면 우울에 빠져 아파트에 멍하니 몇 시간이고 앉아 있었다.

다이앤은 열네 살에 앨런을 만나 사랑에 빠진 이후로 대학에 가거나 직업을 가지는 것에는 관심이 없었다. 원하는 것은 오직 앨런 아버스의 아내가 되는 것이었다. 20년이 넘게 그와 예술적이고 독창적인 가치관을 공유해왔고 죽을 때까지 지속되리라 믿었다. 그러나 그들은 결국 헤어졌다. 다이앤은 이후 사랑을 믿지 않는다고 말하면서도 앨런과는 평생 좋은 관계를 유지했다. 그러고는 오직 사진 작업에만 몰두했으며, 이후 많은 연인들을 만났지만 시간이 갈수록 더 깊은 우울에 시달렸다. 결국 1971년 수면제를 과다복용하고 손목을 그은 채 텅 빈 욕조 옆에서 발견되었다.

집 안에 들어서면 다이앤의 예술적인 잡동사니가 눈에 확 띄었다. 그녀가 읽었을 헨리 제임스의 소설, 색상과 모양과 질감이 너무 좋다며 손가방 대신 고집스럽게 사용한 구겨진 갈색 종이 가방들이 있었다. 종이 가방에는 길에서 주운 동전들과 해변에서 주운 조개껍데기, 오래된 초록색 병, 괴상하게 생긴 돌 등 많은 물건을 넣을 수 있었다. 손가락으로 만지고 쓰다듬으며 꿈을 꿀 수 있는 물건들이 아주 많았다.○

나는 다이앤의 대녀였던 메이엇의 이 얘기가 참 좋았다. 다이앤이 어떤 사람이었는지 알 것 같았다. 헨리 제임스와 카프카, 보르헤스를 좋아하고 작고 사소한 물건들을 주워 오고 집 안을 장식하는 한 여자. 꿈과 사랑을 혼동하고 빛과 어둠을 뒤섞고 길 위에서 길을 잃어버려 어둠이 올 때까지 서 있는 여자. 내가 아는 여러 여자를 떠올렸다. 내가 사랑하는, 잘 아는 여자 같았다.

그녀에게 인간의 얼굴은 무엇이었을까?

빛이 없는 곳에서 사람들은 무슨 수로 자신의 얼굴을 확인할 것인가.

○ 같은 책, 110쪽.

다이앤 아버스가 비춘 빛에 우리는 왜 그토록 당혹스러워했던 것일까.

늦은 밤 어둠 속에서 문득 알아버렸다.

다이앤 아버스

Diane Arbus(1923~1971)

○

○

1924년 뉴욕의 부유한 유대인 집안에서 태어났다. 가업으로 바쁜 아버지와 우울증을 겪었던 어머니로 인해 보모와 가정교사들의 손에 길러졌다. 어릴 적부터 예민하고 고립적인 성격이었던 그녀는 스스로를 '초라한 공주'라고 생각했으며 막연하게 '위대하고 슬픈 예술가'가 되기를 꿈꿨다.

열네 살 때 아버지의 공장에서 앨런 아버스와 만나 열여덟 살에 결혼해 두 딸을 낳았다. 1946년 '다이앤&앨런 아버스'라는 이름의 스튜디오를 설립하고 상업사진을 찍었고, 《보그》, 《하퍼스 바자》, 《에스콰이어》 등에 사진을 실었다. 앨런 아버스와는 1959년에 별거를 시작, 1969년에 이혼했다.

1959년 여성 사진작가 리제트 모델에게 사진을 배운 후 예술사진을 찍기 시작했다. 화가이자 미술감독 마빈 이스라엘에게 지지와 영향을 받았다. 1967년 뉴욕현대미술관(MoMA)의 기획전 〈뉴도큐먼트〉에 출품한 사진으로 주목받았다. 기괴하고 초현실적이며 금기시된 작품들로 '괴짜들의 사진가', '오즈Odds의 마법사'로 불렸다.

1956년부터 필름을 현상하면서 번호를 매겼는데, 마지막으로 알려진 번호는 7459번이었다.

생전에 정식으로 개인전을 열거나 사진집을 출간한 바가 없었으나, 사망한 지 1년 후 베니스 비엔날레에 작품을 전시한 최초의 미국인 사진작가가 되었다. 같은 해 뉴욕현대미술관에서 열린 회고전에는 25만 명의 인파가 몰렸다. 2006년 아버스의 삶을 그린 영화 〈퍼 *Fur*〉가 니콜 키드먼 주연으로 만들어졌다.

여성시라는 말이
사라지는 미래

좋아하는 사람을 무서워할 수도 있을까. 아니 무서운 사람을 좋아할 수도 있을까. 내 심장이 미친 듯이 날뛰는 이유는 너무 좋아서일까, 너무 무서워서일까. 지나친 애정을 두려움으로 혹은 공포를 끌림으로 착각하는 건 아닐까. 마치 영화 속에 나오는 뱀파이어처럼 무섭고 두려운데, 극도의 긴장감 속에서도 나도 모르게 끌리게 되는 치명적인 마성의 소유자일까, 그 사람은. 그런데 그 사람이 나의 선생님이라니.

선생님을 생각하면 무한한 애정과 존경심이 마구 솟

아오르는데, 실제로 선생님 앞에 있으면 입술이 얼어붙어 말 한마디 할 수 없는 '얼음'이 되어버린다. 그마저도 아주 오래전의 일이다. 졸업한 후에 선생님을 뵌 적은 몇 번밖에 없다. 문단 자리에서 우연히 뵙고 인사드린 몇 번을 제외하고 제대로 선생님과 대화를 나눠본 적은 한 번밖에 없다. 학교에 특강을 하러 가 연구실에 찾아갔었다. 그때 선생님은 "내가 요즘 얼마나 부드러워졌는지 아니? 요즘은 학생들이 나를 무서워하지 않아"라며 웃으셨다. 나는 그때 선생님이 웃는 얼굴을 처음 보았다. 학교에 다니던 몇 년 동안 선생님이 웃는 모습을 단 한 번도 본 적이 없다. 그건 함께 학교에 다녔던 친구들도 마찬가지. 모두 선생님의 웃는 모습을 한 번도 본 적이 없다고 증언해주었다. 그러니까 아무리 선생님 본인이 얼마나 부드러워졌는지 웃으며 얘기해도 나로선 쉽게 믿을 수가 없다.

그러고 보면 시를 대할 때의 마음이 딱 그렇다. 내가 시를 쓸 수 있을까. 시는 시인이 쓰는 건데 난 절대 시인 같은 존재는 못 될 거야. 이런 생각 때문일까. 여전히 시는 너무 멀리 있는 것만 같다.

나는 아직도 시를 쓰다가 선생님의 음성을 듣는다.

"세 줄 빼고 다 지워!"

"네."

(어휴, 선생님은 언제까지 이렇게 깐깐하실 일인가.)

나는 선생님이 세상에서 가장 엄격하신 분인 줄 알면서도 자꾸만 질문을 던진다.

"선생님 이 문장을 어떻게 하죠?"

"아직도 더 빼야 할까요?"

"이제 네가 좀 알아서 하면 안 되겠니?"

"네……."

(그래도 선생님이 아직까지 답변해주셔서 고맙다. 요즘은 아주 간혹 나타나시지만.)

20년 전의 첫 시 수업 시간이 생각난다. 시를 써 본 적이 없던 나는 수업에 제출할 시를 쓰느라 골머리를 앓았다. 돌이켜보면 그건 시가 아니었다. 그때 선생님은 나를 꿰뚫어보고 있었다. 내가 쓰려고 했던 것, 쓰지 못한 것까지도 얘기해주었다. 단 몇 줄을 적었을 뿐인데 저 사람은 나의 모든 것을 알고 있구나. 너무나 무섭고 섬찟한 기분이었다. 속을 들키자 불쾌하기까지 했다. 그러고 나서 내가 한 일은 선생님의 시집을 모조리 사서 읽은 것. 그러고 나는 사랑에 빠지고 말았다.

선생님의 시집에서 나를 온통 사로잡은 것은 여성과 초현실이었다. 나는 여성이었고 꿈꾸기를 좋아하는 사람이었다. 시집을 읽기만 했는데 그 이후로 내가 써야 할 시가 무엇인지 비로소 알게 되었다. 선생님은 얼마나 오래 빈 허공을 향해 글러브를 날려왔을까.

> 나는 매번 발명해야 한다. 언어를. 나에겐 선생님도, 선배도 없다. 나에게 여성적 모국어의 전범은 없다. 당연히 내 몸의 내재적 파동의 원리에 따라 새로 발명한 언어가 뛰어놀 수 있는 장場도 없다. 나는 늘 목격한다. 내가 발명한 언어들이 누구와도 악수하지 못한 채, 허공중으로 사라지는 광경을.○

○ 김혜순, 『여성이 글을 쓴다는 것은』, 문학동네, 2002, 162쪽.

나는 때때로 여성에 대해, 여성인 나에 대해 써야 한다고 느낀다. 그리고 쓴다. 그러다 멈춘다. 말한다.

"나는 나의 시를 쓸 거예요. 여성시도 아니고 초현실주의도 아닌 강성은의 시를 쓸 거예요. 그런데 이건 선생님이 주신 거예요. 선생님이 혼자서 싸우고 투쟁해서 얻은 걸 저는 거저 얻었어요."

나는 좀 더 다르게 써야 한다고 생각한다. 그런데 지금 내가 쓰는 시가 여성에 대한, 여성인 나에 대한 시가 아니라면 무엇인가. 또 멈춘다.

"그런데 아직 그때가 오지 않았죠? 여성시가 사라져도 되는 때. 내가 살아 있을 동안은 오지 않을 거라는 생각이 들어요. 그럼 어떻게 써야 할까요?"

선생님은 답이 없다. 침묵에 이어 선생님이 혼자 시를 쓰던 길고 외로웠던 밤들이 파노라마처럼 나타난다. 나의 밤들과 겹쳐진다. 생각해보면 나는 선생님을 잘 모른다. 어떤 사람인지, 정말로 무서운 사람인지, 실은 아주 섬세한 결을 가진 따뜻한 사람인지 잘 모른다. 하지만 선생님을 읽는다. 시 속에서 무수한 여성들과 무수한 나와 만난다.

'김혜순을 읽는다'는 건 최후의 식민지라는 여성의 서사가 아직 끝나지 않았다는 것. 아직 내가 써야 할 시가 있다는 것. 김혜순을 읽지 않는다면 미래는 없다. 여성시라는 말이 사라지는 미래.

몸부림치고 있었어요 검은 쓰레기 봉투 속에서
다시 태어나려고요 나는 아직 태어나지도 않았던 거예요
검은 쓰레기 봉투 속에서 날벌레의 애벌레들이 확 쏟아지자
흠짓 놀란 청소부들이 한발짝 물러나고
절대로 썩지 않을 꿈의 냄새가
밤거리를 물들였어요 내 몸 속 어디에 목숨이 숨어 있는 걸까요?
십만 개도 넘는 머리칼들이 콱 움켜쥔
검은 쓰레기 봉투 하나가 밤거리에 서 있었어요○

○ 김혜순, 「이다지도 질긴, 검은 쓰레기 봉투」, 『달력 공장 공장장님 보세요』, 문학과지성사, 2000, 59쪽.

김혜순

○

문학과지성사 제공

○

경북 울진에서 태어났으며, 1978년 《동아일보》 신춘문예에 평론이 입상하였고, 1979년 《문학과지성》에 「담배를 피우는 시인」 외 4편을 발표하면서 시 창작 활동을 시작했다. 서울예술대학교 문예창작학과 교수로 재직 중이다. 언어적 실험을 통해 독특한 시적 이미지의 형상을 창조하면서 여성의 존재 방식과 경험에 깊이 뿌리내리고 있는 여성적 글쓰기의 시적 실천에 집중하고 있다.

시집으로 『또 다른 별에서』(1981), 『아버지가 세운 허수아비』(1985), 『어느 별의 지옥』(1988), 『우리들의 음화』(1990), 『나의 우파니샤드, 서울』(1994), 『불쌍한 사랑 기계』(1997), 『달력 공장 공장장님 보세요』(2000), 『한 잔의 붉은 거울』(2004), 『당신의 첫』(2008), 『슬픔치약 거울크림』(2011), 『피어라 돼지』(2016) 등이 있다. 산문집 『들끓는 사랑』(1996), 『않아는 이렇게 말했다』(2016)와 시론집 『여성이 글을 쓴다는 것은』(2002), 『여성, 시하다』(2017)를 냈다.

소월시문학상, 김수영문학상, 월간 현대시 작품상, 미당문학상, 대산문학상을 수상했다.

춤을 추리라, 여성의 모습으로

박연준

×

마릴린 먼로

프랑수아즈 사강

버지니아 울프

이사도라 덩컨

김민정

“등 뒤로 기나긴 끈이 이어져 흔들리고 있다는 느낌.

등과 등이 연결되어 있는 느낌.

‘깊이’ 닿아 있다는 확신.”

천진함,
그녀가 입은 옷이자
벗은 옷

어떤 고유명사는 '스스로' 보통명사가 된다. 마릴린 먼로는 누군가의 이름, 그 이상이다. 이름을 발음하는 순간 머릿속에 수많은 이미지가 떠오른다. 먼지 묻은 백합. 흘러내릴 것 같은 가슴, 풍성한 금발, 설탕이 녹을 때 날 것 같은 목소리, 흔들리는 걸음걸이, 1950년대 미국, 할리우드, 지하철 환풍기 바람에 날리는 치맛자락, 섹스 심벌, 20세기폭스, 케네디가家, 조 디마지오, 아서 밀러, 앤디 워홀, 끊이지 않는 염문, 사고, 스캔들, 약물중독, 외로움, 의문의 죽음, 그리고 그냥 한 명의 여자. 마릴린 먼로를 떠올릴 때, '여자'라는 젠더를 내려놓는 게 가능할까? 그녀는 한 사람이기에 앞서 언제나 여자로 기억되고 평가받았다. 이것이 그녀에게 행운일까 불행일까?

내겐 유명인의 화려한 모습 옆에 떠오르는, 그가 '두고 온 얼굴'을 보는 버릇이 있다. 노력하지 않았는데도 저절로 떠오른 것이므로 그것은 풍경처럼 그냥 보이는 것이다. 혼자 있을 때의 표정, 잠옷 위로 동그마니 떠오른 휑한 얼굴 같은 것. 애인과 마음이 어긋났을 때 고개를 숙인 모습이나 화장을 지우고 난 뒤의 모습. 허물처럼 옷을 벗는 자세. 말하자면 내겐 그의 앞면이 아니라 뒷면이 보인다.

마릴린 먼로, 조명을 켠 듯 빛나는 얼굴 뒤에 숨은 그녀의 이면, 외로워서 눈코입이 하나씩 지워진 텅 빈 얼굴이 보인다. 태어나서 '일관적으로' 사랑을 받아본 적이 없는 자의 얼굴이다. 모든 감정 중에 두려움과 불안이 가장 빨리 얼굴에 내려앉는 자. 그녀에게 미래는 언제나 어두웠으리라. 현재나 과거보다 더. 내가 그녀의 얼굴에서 쓸쓸함을 읽은 이유는 그녀의 어린 시절, 노마 진의 모습이 수시로 보이기 때문일지 모른다. 그녀가 직접 적어 내려간 글에 이런 대목이 나온다.

"노마 진은 여기서 끝난다"고 지금 막 쓰고 나니, 마치 거짓말을 하다 들킨 것처럼 얼굴이 달아오른다. 너무 조숙했던 이 슬프고 가련한 아이는 내 마음에서 떠난 적이 거의 없기 때문이다. 내가 큰 성공을 거둘 때도 나는 노마 진의 겁에 질린 눈이 아직 내 속에 있다는 걸 느낄 수 있었다. 그녀는 계속해서 이렇게 말한다. "나는 즐겁게 살지 못했고 한 번도 사랑받지 못했어." 그렇게 말하고 있는 것이 나인지 생각하며 혼란에 빠진다.○

○ 마릴린 먼로, 『마릴린 먼로, My Story』, 해냄, 2003, 58쪽. 그녀가 직접 쓴 책을 들고 떠올린 생각은 "그녀가 글을 썼다고?"라는 의구심이었다. 이것만 봐도 내 안에도 그녀에 대한 편견이 있음을 알 수 있다. 물론 책을 백 퍼센트 그녀가 썼다고 생각하진 않는다. 자신의 삶을 조망하고 평가하는 시선이 자연스럽지 않아 보이는 대목이 있다. 그녀가 죽은 뒤, 편집자들 손에 각색되어 출판되었을 거라 생각한다. 그러나 그녀가 배우가 된 뒤 대학 강의를 찾아 들으며 많은 책을 읽고 교양을 쌓으려 노력했다고 하니, 글의 뼈대는 그녀가 세웠으리라. 그녀는 메모를 많이 했고, 널리 알려지진 않았지만 시와 그림도 남겼다.

노마 진에겐 부모도 형제도 다른 가족도 없었다(있지만 없었다). 십 대 중반까지 열 군데가 넘는 위탁가정을 떠돌고, 종종 고아원에서 지냈다. 설거지하고 청소하고 심부름을 하는 데 익숙한 꼬마 노마 진은 세상에 '덤'으로 얹어진 존재, 둘 곳이 마땅치 않아 잠깐 선반에 얹어둔 존재 같은 아이였으리라. 이는 방과 후 남자애들이 "개 떼처럼" 따라붙어도 보호해줄 사람이 없다는 뜻이다. 고아원에 가지 않는 방편으로 열여섯에 결혼을 선택할 수밖에 없던 아이, "키스나 약속"이 없는 삶에 익숙한 아이라는 뜻이다.

만약 당신이 자기 몫으로는 무엇 하나 가지지 못한 아이로 태어나 자랐다면, 가진 거라곤 남의 이목을 잡아끄는 외모뿐이라면, 당신은 어떤 방식으로 세상에 살아남겠는가? 이것은 생존의 문제다. 마릴린 먼로는 자기 몫으로 탐할 수 있는 것이 아무것도 없어서 세상이 자신을 탐하게 만들었다. '만들었다'는 말엔 그녀의 피나는 노력과 눈물, 계략과 생존 본능이 담겨 있다. 노마 진이 갖지 못한 모든 것이 그녀를 마릴린 먼로로 진화하게 했다. 그녀는 세상을 향해 자기를 던졌다. 사람들이 자신을 향해 환호성을 지르고 휘파람을 불고, 손을 뻗어 갖고 싶어 하는 것을 보며 만족했다. 자신에게 '도움'을 주거나 '사랑'을 줄 수 있는 남자들과 종종 잤으며(그녀에게 사랑은 도움의 다른 말이었다. 그녀는 언제나 도움이 필요했다), 천진한 동시에 영악했으며, 상처입고 외로워했다.

노마 진은 자라서, 마릴린 먼로가 되었다. 마릴린 먼로에겐 특별한 게 있다. 성적 매력이라고 하는 것, 어쩌면 여성적인 것을 논할 때 빠지지 않는 것. 사실 '여성적'이라는 말은 애매하다. 기준에 따라 다를 수 있고, 편견이 개입될 수밖에 없는 말이다. 그보다 '여성만이 가지고 있는 것'을 생각해볼 때 그녀는 그 '엑기스'를 지니고 있었다. 솟아오른 가슴, 둥근 엉덩이, 몸의 굴곡들, 목소리, 그게 뭐든, 그녀의 몸이 뿜어내는 오라aura는 특별했다.

그런데 그녀의 '성적 매력'은 요망한 것인가? 여성성

을 이야기할 때 모성, 희생정신, 부드러움과 온건함, 관용 등 전통적 여성성은 찬미되어왔지만 섹슈얼함, 요염한 이미지, 홀리는 눈빛, 육체가 내뿜는 매력은 은근한 탄압을 받아왔다(속으로는 좋아하는 사람들도 공적인 자리에선 질책했다). 중세 시대에 행해진 마녀사냥이나 생리 중인 여성을 불경하게 여기는 문화, 경국지색傾國之色이라는 말, 시골 다방의 여성 종업원을 향한 동네 주민들의 삐딱한 시선을 생각해보라. 유혹 가능한 신체와 성적 매력을 지닌 마릴린 먼로는 칭송과 비난을 동시에 받아왔다. 세계는 이 아름다운 폭탄에 열광했지만 '백치미'라는 이미지로 깎아내렸다. 함부로 대하고 제멋대로 소비해도 상관없는 존재로 간주하며 물고 빨고 뜯었다. 한 남성이 성적 매력이 넘친다고 해서 지탄받은 일이 있는가(엘비스 프레슬리, 말런 브랜도, 조지 클루니를 떠올려보라). 그러나 여성은 그 매력이 지닌 '잠재적 위험' 때문에, 자주 지탄받았다. 그것을 탐한 사람이 아니라, 탐하게 만든 여성의 잘못이라는 듯 굴레를 씌웠다.

과연 마릴린 먼로는 금발의 백치 미녀였는가? 그녀

는 대중이 욕망하는 대상, 할리우드에서 잘 팔리는 상품으로서 자기 가치를 높이려 했다. 자신의 이미지를 치밀하게 만들었다. 그녀는 대중이 원하는 욕망의 아이콘으로 자기 이미지를 꾸몄고, 꿈꾸었으며, 이루었다.

나는 교회 의자에 앉자마자, 오르간 연주를 하고 모두 찬송가를 부를 때면 옷을 죄다 벗고 싶은 충동을 종종 느꼈다. 하느님과 모든 사람들이 나를 볼 수 있게 벌거벗고 벌떡 일어서고 싶은 마음이 간절했다. 옷을 벗지 않도록 손을 엉덩이 아래에 넣고 이를 악물어야 했다. 때로는 옷을 벗지 않게 해달라고 하느님께 간절히 기도하기도 했다.

이런 꿈을 꾸기까지 했다. 꿈속에서 나는 속에 아무것도 입지 않은 채 페티코트처럼 둥글게 퍼지는 치마를 입고 교회로 들어갔다. 사람들은 교회 복도에 등을 대고 누워 있고 내가 그 위로 지나가면 사람들이 나를 올려다보았다.

벌거벗고 나타나고 싶은 충동과 그에 관한 꿈은 수치

심이나 죄의식 같은 것은 전혀 담고 있지 않았다. 사람들이 나를 쳐다보는 꿈을 꾸면 외로움이 덜해졌다. 그런 꿈을 꾼 것은 입고 있던 옷을 창피하게 여겼기 때문인 것 같다. 언제나 변함없이 바랜 파란색 치마를 입었다. 벌거벗고 있으면 고아원 옷을 입은 아이가 아닌 다른 여자아이들과 똑같을 테니까.○

어린아이가 순진을 가장하여 사랑을 구하듯, 젊은 남성이 용맹함을 가장하여 사랑을 구하듯, 늙은 사람이 지혜와 점잖음을 가장하여 존경을 구하듯, 한 여성이 몸의 여성성을 극대화하고 '여성'이라는 예술(먼로의 경우 '상품'으로 시시때때로 변하지만) 가치를 극대화하여 꾸며내 대중의 사랑을 구하려 했다면? 그것은 나쁜 것인가? 마릴린 먼로는 열려 있었다. 의도적으로. 그녀는 촬영 후 몇 시간 동안 쓸 만한 사진을 고르고, 나머지는 잘게 찢었다. "트럭을 운전하는 남성(평범한 남성)이

○ 같은 책, 36쪽.

지나가다 자신을 보고, '그곳(침대)으로 데려가고 싶어할' 이미지"를 찾아야 한다고 말했다. 일부러 좀 더 접근하기 쉬워 보이는 이미지를 만든 것이다. 대중의 성적 판타지가 되고 싶다는 생각은 나쁜가? 문란한가? 페미니즘의 관점에 어긋나는 것인가? 여성은 '언제나' 성적 대상에서 벗어난 존재일 때 평등하고 편안하다고 해야 옳은가?

나는 그렇게 생각하지 않는다. 성적 인식에서 완전히 자유로울 때, 다시 말해 성에 관해 여성이 스스로 선택하고 누리며 능동적인 역할을 할 때, 그로 인해 아무런 지탄도 받지 않을 때, 헤프다거나 천박하다거나 위협적이라고 비난받지 않을 때 진정한 젠더 평등이 이루어진다고 생각한다. 성에 수동적이거나 무관심한 여성을 바라고, 그런 이미지를 재생산해내는 사회가 오히려 나쁘다. 여성도 성적 결정의 주체가 될 수 있어야 하고 이에 대해 어떤 편견도 받지 않아야 한다(한국 사회에서 나는 여성에 의해 여성이, 성에 대한 편견을 수혈받고 평가받으며 비난받는 경우를 더 많이 봤다).

마릴린 먼로는 이 모든 찬탄과 지탄을 '물리치고', 사진과 영상에서 여전히 웃고 있다. 눈을 내리깔고 입을 활짝 벌려 웃는 저 모습은 천진해 보인다. 그녀는 사람들이 헤프다고 손가락질할 때도, 열광하며 함성을 지를 때도 그냥 마릴린 먼로였다. 욕망의 대상으로서 그녀에게 상품가치가 있다면, 그녀는 '팔린 게' 아니다. 스스로, 능동적으로 '판 거'다. 물론 그녀는 자신에게 최고값을 매겨 세상이 원하는 이미지로 포장해서 영악하게 팔았다.

> 나는 내가 그들과 다르다는 것을 알고 있었다. 그들은 내 꿈 같은 걸 갖고 있지 않았다. 내 꿈은 훌륭한 배우가 되는 것하고는 아무 상관없었다. 나는 내가 삼류라는 걸 알고 있었다. 사실 재능이 없다는 것도 느낄 수 있었는데, 그건 마치 속에 입은 싸구려 옷과 같았다. 그렇지만 나는 너무나 배우고 싶었다! 변화하고 발전하고 싶었다! 다른 것은 아무것도 원하지 않았다. 남자도 돈도 사랑도 아니고 연기력만을 원했다.○

연기에 대한 열망, 배움, 독서, 이미지 트레이닝 등 그녀의 치열한 노력은 죽은 뒤에 밝혀졌다. 기자들은 그녀의 방에서 다수의 수준 높은 책들을 발견하고 놀랐다고 한다. 마릴린 먼로. 천진함은 그녀가 입은 옷이자, 벗은 옷이었다.

○ 같은 책, 95쪽.

마릴린 먼로

Marilyn Monroe(1926~1962)

○

○

1926년 로스앤젤레스에서 태어났다. 본명은 노마 진 베이커Norma Jeane Baker로, 먼로는 어머니의 이전 성을 따서 지었다. 가난과 어머니의 정신 질환, 양부모의 학대와 성폭력, 고아원 생활 등 어린 시절은 불행했다. 모델 활동을 계기로 1946년 20세기폭스의 출연 제의를 받아 배우의 길에 들어섰다.

1950년 〈아스팔트 정글*The Asphalt Jungle*〉, 〈이브의 모든 것*All About Eve*〉에 출연하면서 주목을 받았고 1952년 〈돈 보더 투 노크*Don't Bother to Knock*〉에서 처음으로 주연을 맡았다. 이후 〈나이아가라*Niagara*〉(1953), 〈신사는 금발을 좋아해*Gentlemen Prefer Blondes*〉(1953), 〈백만장자와 결혼하는 법*How to Marry a Millionaire*〉(1953), 〈7년 만의 외출*The Seven Year Itch*〉(1955) 등에 차례로 출연하며 폭발적인 인기를 얻었다. 세기의 섹스 심벌이자 대중문화의 아이콘이 되었고, 그 뒤로 〈버스 정류장*Bus Stop*〉(1956), 〈뜨거운 것이 좋아*Some Like It Hot*〉(1959), 〈어울리지 않는 사람들*The Misfits*〉(1961) 등의 영화에서 활약했다.

야구선수 조 디마지오, 극작가 아서 밀러를 포함한 세 번의 결혼 실패와 약물 중독으로 세간의 시선에 시달리며 불행한 나날을 보냈다. 1962년 8월 5일 아침, 수면제 과다 복용으로 숨진 채 발견되며 서른여섯의 나이로 짧은 생을 마쳤다.

알면서 탕진하는 자유

사랑은 변한다. 충만과 황홀을 베개와 이불 삼아 시작한 연인도 '생활'을 꾸리는 순간 변한다. 의무감과 불만을 덮고 잠든다. 눈을 비비며 멍하게 앉아, 사라진 사랑에 대해 골똘해지는 순간이 있다. 아니라고? 있다. 있을 수밖에 없다. 모든 관계는 숙성할수록 발효 현상에 따른 '권태와 무뎌짐'을 얻기 때문이다. 비단 남녀 간의 문제만이 아니라, 친구나 가족 간에도 이런 현상은 일어난다. 거리감 없이 찰싹 붙어 있던 사이일수록 더 그렇다. 프랑수아즈 사강은 이런 인간관계, 사람 사이에 일어나는 미묘한 심리 문제에 정통한 작가다.

사강은 한눈에 문제를 꿰뚫어 본다. 문제를 설파하지 않고 보여준다. 그의 작품에서 인물들은 문제를 적극적으로 논하거나 발설하지 않는다. 해결하지 않는다. 다만 사랑의 황홀함과 지리멸렬함을 양손에 하나씩 쥐고 들여다보며, 시간을 보낸다. 사강의 문체는 건조하면서 동시에 부드럽고, 유연하다. 중요한 이야기를 심드렁하게 하거나, 시시한 이야기를 진지하게 한다. 멋을 내지 않아 멋이 난다. 어떤 이야기도 사강이 다루면 진부해지지 않는다. 이건 결국 작가가 가진 매력 때문일까? 프랑스 작가 필리프 바르틀레는 사강에 대해 이렇게 썼다.

> 여기 한 작가가 있다. 프랑수아즈 사강. 비평가들은 작품 속에 사강의 코드가 얼마나 기이하게 배치되는지 잘 알지 못한다. 모든 문학에 공통되는 이론과 기법은 애초에 배제되어 있다. 사강은 이런 말을 한 적이 있다. "나는 한 번도 내 작품들을 통해 평가받지 못했어요. 사강이라는 사람으로 평가받았죠. 시간이 흐르자 작품

을 통해 평가받게 됐어요. 그리고 나는 그것에 익숙해졌죠." 이런 경우는 아마도 현대문학계에 매우 특이한 일일 것이다. '작가'를 너무나 좋아한 나머지 그의 작품은 상대적으로 덜 조명받은 것이다. '매혹적인 악마'(프랑스 소설가 프랑수아 모리아크가 사강을 이렇게 평가했다 — 옮긴이)가 된 이후 사강은 미묘한 감정을 경험했다. 그녀는 이렇게 말했다. "나는 하나의 물건, 하나의 사물이 되었어요. 사강 현상, 사강 신화. 하지만 부끄러웠어요. 나는 유명인이라는 틀 속에 갇힌 죄수였죠. 나는 알코올에 빠졌고, 사소하고 음울한 육체관계에 탐닉했고, 영어 표현들을 더듬거렸고, 그럴듯한 경구들을 내뱉었고, 실험실의 닭처럼 뇌를 박탈당했어요."○

작품보다 그녀의 삶이 때로 더 근사해 보이고, 사람들의 관심을 끈 것은 사실로 보인다. 사강은 작가이면서 스타이기도 하니까. 사강의 삶은 드라마틱했다. 이

○ 프랑수아즈 사강, 『한 달 후, 일 년 후』, 최정수 옮김, 소담출판사, 2007, 188~189쪽.

른 나이에 성공했으나 그의 천재성, 부와 명예, 화려한 인맥, 알코올 중독, 도박 중독, 스피드 중독, 마약 중독, 숱한 연애와 이별은 소문을 몰고 다녔다. 나는 어느 글에서 이렇게 쓴 적이 있다.

> 사강은 비범한 인간이다. 비단 문학적 재능에 대한 이야기만이 아니다. 인생이 백 가지의 색깔로 이루어졌다면, 사강은 아흔 가지 이상의 색을 고루 사용해본 사람이다. 비범하다는 것은 그런 것이 아닐까? 평범한 사람이 해오던 일을 계속하려는 경향이 강하다면 비범한 사람은 다양하게 경험하고 폭넓게 취하며 다른 곳으로 나아가려 한다. 호기심과 적극성, 용기와 담대함, 삶에 투신하려는 의지가 필요한 일이다. [……] 그녀는 어린 나이에 어쩌다 우연히 히트작을 낸 게 아니다. '천재적인 재능'이 있다. 먀약 소지 혐의로 법정에 섰을 때 "나는 나를 파괴할 권리가 있다"고 증언한 사강의 말은 유명하다. 스스로 자멸하는 자들, 파멸의 길을 걷는 자들은 무수히 많다. 그러나 프랑수아즈 사강처럼 자신이

스스로에게 무슨 짓을 하는지 정확하게 인지하며, 알면서 자멸하는 자는 드물다.[○]

정말이다. 자신이 했던 행동과 하는 행동, 할 행동까지 정확히 인지한 사강은 욕망과 감정에 충실했고 솔직하게 살다 갔다. 스스로 원하는 방식으로 사는 일. 아니, 그렇게 사는 게 가능하다는 것! 정말 어려운 일이다.

사강은 단편소설보다 장편소설을 많이 썼는데, 얼마 되지 않는 단편소설에 이런 대목이 나온다.

여자는 남자를 머리끝부터 발끝까지 돌보았다. 멋진 옷을 입히고, 보석들을 선물했다. 남자도 거절하지 않았다. 다른 사내들과 달리 남자는 어리석고 속물스럽게 머리를 쓰지 않았다. 다른 사내들은 뭔가 원하는 게 있거나 돈을 받고 몸을 파는 계약에서 손해를 봤다고 생각하면 좀처럼 기분을 풀지 않았다. 사실은 손해를 봤

○ 박연준·장석주, 『내 아침 인사 대신 읽어보오』, 난다, 2018, 149쪽.

다고 생각하는 쪽이 많았다. 그들은 딱히 갖고 싶지도 않으면서 호화롭고 값비싼 것은 닥치는 대로 사들였다. 그렇게 해서 자존감을 되찾으려는 것이었다. 자존감이라는 말이 여자로 하여금 속으로 웃게 만들었다.[○]

여자가 남자를 '돌본다'고 할 때의 통상적인 관념을 전복시키는 이 부분을 보라! "돈을 받고 몸을 파는 계약"을 한다든지 "값비싼 것은 닥치는 대로 사들"여서 자존감을 되찾으려 하는 자는 여자가 아니라 남자다! 이 대목에서 짜릿함과 흥미를 느끼게 되는 건 어쩔 수 없다. 대체로 이야기에서, 누군가의 재력에 의존해 존재를 함부로 방기하는, 속물근성을 가진 비루한 주체는 여성이었다. 사강의 소설에는 남자를 마음대로 후리는, 쿨하고, 당당하고, 돈이 많고, 자유분방한 여성이 자주 등장한다. 아주 자연스럽게, 처음부터 여성의 지위가 그러했던 것처럼!

○ 프랑수아즈 사강, 『길모퉁이 카페』, 권지현 옮김. 소담출판사, 2013. 37쪽.

사강은 자신의 성별이 '여성'이기 때문에 행동이나 사고나 집필 활동에 제약을 받은 적이 '거의' 없어 보인다. 그녀는 사랑, 섹스, 남성 편력, 숱한 사고, 레이싱, 도박, 마약, 경마, 소설에 관해서라면 마음껏 탕진했다. 아, 나는 '탕진'이란 단어를 편애한다! 있는 것을 남김없이 모조리 써서 없애버리는 것! 그 짜릿함과 여한 없음! 걱정이 앞서는 사람들은 결코 할 수 없는 일 아닌가. 그런데 내가 앞에 나열한 항목들, 사강이 탕진해버린 것들을 살펴보면 재밌다. 다사다난하게 산 남성의 인생을 논할 때 자주 등장하는 항목들 아닌가? 사강은 '여성'이라는 성별에 묶이지 않고 홀가분하게, 자기 자신으로 살았다.

다시 태어난다면 나는 프랑수아즈 사강처럼 살아보고 싶다. 그게 뭐든지 맘껏, 흥청망청, 아끼지 않고 끝까지 누려보다 망가져도 보고, 죄를 묻는 법정에 서서 "남에게 피해를 주지 않는 한 나는 나를 파괴할 권리가 있다"고 눈을 동그랗게 뜨며 말하는 삶. 멋지지 않은가? 아, 맞다! 나는 다시 태어난다면 작가로 살 마음이

결코 없으니까(했던 것을 왜 또 한담), 그녀처럼 살겠다
고 하면 안 되겠지만!

프랑수아즈 사강

Françoise Sagan(1935~2004)

○

○

1935년 프랑스 남서부 카자르크에서 부유한 집안의 막내로 태어났다. 본명은 프랑수아즈 쿠아레Françoise Quoirez로, 사강이라는 필명은 마르셀 프루스트의 소설 『잃어버린 시간을 찾아서』(1913~1927)에서 따온 것이다. 파리로 이주하여 수녀원 소속의 학교에 진학했으나 문제를 일으켜 퇴학당했고, 이후 소르본 대학교도 중퇴했다.

19세 때 발표한 소설 『슬픔이여 안녕*Bonjour Tristesse*』(1954)이 세계적인 베스트셀러가 되면서 반향을 일으켰으며, 프랑스 문학비평상을 수상했다. 이후 소설 『어떤 미소*Un Certain Sourire*』(1956), 『한 달 후, 일 년 후*Dans un mois, dans un an*』(1957), 『브람스를 좋아하세요… *Aimez-vous Brahms…*』(1959) 등을 발표하며 특유의 자유로운 감성과 섬세한 심리 묘사로 '사강 스타일'을 확고히 했고 젊은 세대를 대표하는 작가로 자리매김했다.

두 번 결혼하고 한 명의 아이를 두었고 두 번 이혼했다. 신경쇠약과 노이로제, 술과 마약, 도박에 중독된 생활 가운데서도 소설, 에세이, 시나리오 등 다양한 장르의 글을 꾸준히 발표했다. 1985년 한 작가의 작품 전체에 수여하는 프랭스 피에르 드 모나코 상을 수상했다.

2004년 심장과 폐 질환으로 사망했고, 출생지인 카자르크에 잠들었다.

생각하는 것이
나의 싸움이다

여자에게도 총이 필요하다. 사타구니에 달린 것 말고, 다방면으로 사용할 수 있는 빛나는 총이 필요하다. 기능이 뛰어날수록 좋겠다. "펜은 칼보다 강하다"지만 때로 펜보다 칼보다 더 위협적인 것(총!)이 필요하다. 오, 여자만 쏠 수 있는 총이 있다면! 나는 그것을 손에 쥐고 여성을 위협하고 멸시하고 함부로 대하고 마구 부리며 이용하(려)는 세상 잡것들(사람만이 아니라 시스템, 문화, 편견 등 너무 많아 '잡것'이라 표현하겠음)을 향해 빵빵! 쏴버리겠다, 고 상상한다. 왜 상상이냐고? 내가 멍청이이기도 하지만, 그보단 내가 여성이기 때문이다.

전쟁을 포함한 모든 폭력 행위는 대부분 남성이 일으킨 것이다. 전쟁의 역사를 살펴보라. 전쟁을 일으키고, 싸우고, 폭탄을 만들어 어느 지역을 복구 불가능할 정도로 파괴하고, 전리품을 나눠 갖고, 다시 땅을 나누고, 그 과정에서 다시 싸우고, 부수고, 세우고, 화해하고, 끝내고, 위협하고, 협상하고, 이익을 따지는 이 모든 과정에서 여성은 대체로 배제되었다. 적어도 그들과 '평등한 위치'에서 동참한 적이 없다. "왜냐하면 남녀 양성이 많은 본능을 공통으로 갖고 있지만 싸움은 늘 남자의 관습이었지, 여자의 관습은 아니었기 때문"○ 이다. 폭력의 한복판에서 여성은 늘 아이들과 함께 보호받거나 희생의 대상이 되었으며, 자주 이용당하고 버려졌다.

싸우는 이유에 관하여 우리 여성의 경험과 심리에 근

○ 버지니아 울프, 『3기니』, 태혜숙 옮김, 이후, 2007, 75쪽.

거를 둔 대답은 하등 가치가 없는 것입니다. 분명히 선생과 같은 남자들에게는 싸움을 통해서 얻는 영광, 필연성, 만족 같은 것이 있습니다. 우리가 결코 느끼거나 누려 본 적이 없는 것들이지요.○

싸움(투쟁)은 남성에게 종종 직업이었다. 사냥도 돈을 버는 행위도 씨를 퍼트리는 일도 가족과 사회를 위한답시고 대의명분을 따져 세우는 것도 모두 싸움의 일환이었다. 싸우는 자는 싸움을 통해 "영광, 필연성, 만족"을 얻는다. 버지니아 울프의 말대로 이것들은 오랫동안 남성의 것이었다. 오랫동안 여성은 "결혼이 딸에게 열려 있는 유일한 직업"○○으로 알고 살았다. 모든 여성이 결혼을 통해 영광을 누리지도, 필연성을 찾지도, 만족을 얻지도 못했음에도 말이다. 물론 전통적 관점에서 남성(아버지)도 여성(어머니) 못지않게 희생하고 고통을 감수해왔다고 말하는 이도 있다. 그러나 가장이

○ 같은 책, 75쪽.
○○ 같은 책, 132쪽.

나 군인, 통치자, 사회 핵심 구성원으로서 남성의 노고는 여성의 노고와 결이 다르다. 남성의 노고는 개인의 사회적 성공이나 자아실현과 닿아 있기 때문이다. 반면 남성을 보필하거나 인류에 종사할 후손을 낳고 키우는 일, 남성이 세운 대의와 명분을 위해 집안에서 희생하는 일이 다반사였던 여성의 노고엔 개인의 성공도, 영광도 없었다.

시대가 바뀌었다. 많은 여성들이 '자기만의 방'을 갖고, 교육을 제공받으며, 스스로 돈을 벌 수 있게 되었다. 그렇지만 여전히 여성은 다양한 차별과 공격에 노출되어 있으며, 혐오세력과 부딪친다. 여전히 여성은 젠더 문제 한가운데서 투쟁 중이다. 싸움이 본래 직업이 아니던 여성들이 싸움 한가운데 섰을 때 겪게 되는 문제는 많다. 여성이 세상을 향해 무언가를 주장할 때 무력감을 느끼곤 한다. 아이가 완고하고 엄격한 어른에게 자기 의견을 피력할 때 느끼는 '최초의 무력감' 같은 것을, 나는 느낀다. 마치 윗사람이 아랫사람의 '사사로운 불만'을 들을 때처럼, 미간을 찡그리며 또 시작이군, 하면서 피로감을 토로하며 듣는(실은 듣지 않는) 태도의 남자들이 도처에 있다. '미투 운동' 앞에서 혹은 뒤에서, 남자들이 짓는 표정. 기득권을 쥔 세력이 손에 쥔 것을 빼앗길까 봐, 득실을 따져보며 신경을 곤두세우고 고압적으로 나오는 태도. 이런 태도 앞에 수없이 서봤다. 대등하지 않은 위치에서의 논쟁, 출발선이 다른 곳에서 열리는 달리기는 지금도 이어지고 있다. 누가 이기고 지느냐는 중요하지 않은 게임. 멈추지 않고 달리는 것이 중요한 게임이다. 내가 이 지난한 길 위를 달릴 때, 달리는 줄도 모르고 달릴 때, 언제나 가장 먼저 떠오르는 여성, 여전히 우리 앞에서 뛰고 있는 여성이 버지니아 울프다.

나보다 약 한 세기 전에 태어난 여성의 글 앞에서 나는 언제나 놀라고, 머리카락이 쭈뼛 서는 체험을 한다. 그녀의 글은 급진적이며, 지성으로 가득 차 설득력이 있다. 싸워야 할 대상을 밖에서 찾고 있던 어느 날 나는 버지니아 울프의 책 한 권을 접했다. 싸움의 소용돌이에서 우리가 먼저 들여다보고, '죽여야 할' 대상이 내부에 있음을 생각하게 한 책! "집 안의 천사 죽이기"라는 제목 앞에서 나는 얼어붙었다. 읽기도 전에, 이미 제목에서, 나는 그녀가 무얼 말하고 있는지 알았다. 그 천사는 내 앞에도 수시로 나타나기 때문이다. 집에 있을 때, 혹은 집 밖에서도 수시로 나를 통제하려 하는 천사. 내가 '온당히' 해야 할 일과 하지 말아야 할 일을 요목조목 늘어놓는 천사. 그 천사는 대체로 내가 아니라 '남의 눈에 비칠 나'에 대해 조바심 냈으며 잔소리를 늘어놓았다.

그녀의 날개 그림자가 내 원고지 위에 드리워졌습니다. 나는 방에서 그녀의 치맛자락 스치는 소리를 들었습니다. 말하자면 유명한 남자의 소설을 비평하기 위해 내가 손에 펜을 들자마자 그녀는 내 뒤로 미끄러지듯 다가와서 "이봐요, 당신은 젊은 여성이에요, 당신은 남자가 쓴 책에 대해 쓸 참이지요. 다정하고 상냥하게 굴어요. 아첨하고 속이세요. 우리 여성의 모든 기량과 술수를 사용하세요. 아무도 당신이 자신의 정신을 갖고 있다는 것을 눈치채지 못하도록 하세요. 무엇보다도 순수해지세요" 하고 속삭였습니다. 그리고 그녀는 내 펜을 이끌어가듯이 행동하였습니다. [……] 나는 그녀 쪽을 향해 몸을 돌려 목덜미를 잡았습니다. 그리고 최선을 다해 그녀를 죽였습니다. 만약 내가 고소당해서 법정에 서게 된다면 나는 정당방위였다고 변명할 겁니다. 내가 그녀를 죽이지 않았다면 그녀가 나를 죽였을 테니까요. 그녀는 나의 글에서 핵심을 빼앗아 갔을 것입니다. 왜냐하면 나는 종이에 글을 쓰기 시작하자마자 깨달은 게 있기 때문입니다. 자신의 정신이 없으면, 또 인간관계나 도덕과 성性에 대한 진실을 표현하지 않고서는, 한 권의 소설조차 비평할 수 없다는 것을 깨달았던 것입니다.○

다행히 내 천사는 내가 글을 쓸 때는 멀찍이서 졸고

○ 버지니아 울프, 『집 안의 천사 죽이기』, 태혜숙 옮김, 두레, 1996, 22~23쪽.

있다. 시대가 바뀌어 이제 '내가 여성이기 때문에' 쓰면 안 된다고 생각하는 것은 없기 때문이다. 그러나 이 천사는 내가 브래지어를 착용하지 않고 거리로 나가려 할 때, 살림에 신경을 쓰기보다 작업을 먼저 하려 할 때, 처음 보는 사람 앞에 설 때, 내 곁을 집요하게 따라다니며 말한다. "사람들이 당신을 어떻게 생각하겠어요? 좀 더 단정한 차림을 하고, 집안을 청결히 하고 가꾸세요. 그게 여자의 일 아니겠어요? 처음 보는 사람에겐 무조건 상냥하게 대하고 천방지축인 본성을 잘 다스리라고요." 버지니아 울프의 말처럼 이 천사는 좀처럼 죽지 않는다. "그녀가 지닌 허구적인 특성 때문"에, "그녀를 떼어버렸다고 생각하는 순간, 그녀는 다시 기어"나온다. 버지니아 울프는 이 집안의 천사를 죽이고 나서야 진정한 작가, '그녀 자신'이 되어 글을 쓸 수 있다고 말한다.

다시 생각해보니, 내가 여성이라서 글쓰기에 받는 제약이 없다는 말을 수정해야겠다. 지금 쓰고 있는 이 글도, 내가 여성이기 때문에 쓰고 있지 않은가? 남성 작가라면 쓰지 않아도 되는 글(혹은 쓸 필요가 없는 글)을 나는 여러 번에 걸쳐 변주해 쓰고 있지 않은가? 내겐, 그리고 우리에겐 아직 할 말이 많고 갈 길이 멀기 때문이다. 여성이기에 나는 젠더 문제에 민감하고 문제의식을 느끼며, 그에 따라 글을 쓸 수밖에 없다.

버지니아 울프가 알려진 대로 "교육받은 남성의 딸"인 중산층 여성 문제에만 국한되어 성 평등 및 인권 문제를 논한 것은 아니다. 울프는 1931년에 출간된 여성노동자들의 글 모음집 『우리가 아는 인생』의 서문을 써달라는 요청을 받고 서간문 형식의 글을 쓴 적 있다. 울프는 자신의 글에서 자기가 잘 아는 중산층 여성, "교육받은 남성의 딸"의 문제를 다루겠다고 말한 바 있지만, 그녀는 자신이 잘 알지 못하는 여성노동자들의 삶을 들여다보고 이해해보려 노력했다. 중산층 여성인 울프의 위치에서 여성 문제는 남성과 차별 없이 교육을 받거나 재산을 소유하는 것, 사회에서 공정한 입지를 갖는 것이었다면 노동자 계층 여성이 갖고 있는 문제는 더 원

론적인 것에 있었다. 먹고사는 일. 매일 음식을 요리해 '먹이'를 만들고 청소하는 일, 아이를 낳아 먹이고 입히고 기르는 일, 적은 돈을 받고 공장에서 하는 일, 헛간을 치우고 고용주가 시키는 잡다한 심부름을 하는 일. 즉 '기본적이고 사소한 일이라 천한 대우를 받고, 큰 공이 돌아가지 않지만 힘은 드는 일'을 하면서 생기는 문제를 안고 살아가는 게 여성노동자인 것이다. 울프의 표현대로라면 "종이와 연필도 마치 빗자루처럼 꽉 잡"는 이 여성노동자들, "얼굴은 굳어 있었고 많은 주름살이 깊게 잡"힌 여성노동자들은 보다 나은 노동 요건과 합당한 보수, 얼마간의 자유와 인간다운 대우를 위해서라면 "우리는 얼마든지 기다릴 수 있어요"라고 말하고, 글을 쓰고, 책을 냈다!○

> 여성노동자 조합이 빈약하나마 시험적으로 탄생된 것도 내 추측으로는 1880년대가 아닌가 해요. [……]

○ 같은 책, 119쪽.

그리고 1883년 4월 18일에 그녀는 여성조합의 회원은 이제 7명이라고 알렸구요.○

초기에 겨우 일곱 명이던 여성노동조합 수는 몇 년 뒤에 스무 명 남짓으로 늘었다. 이들은 매주 회의와 토론을 하고 강연을 열고 글을 썼다. 1913년에는 "목욕과 임금과 전기뿐만 아니라 성인 투표권과 땅세와 이혼법 개혁" 등을 요구하기에 이른다! 대단하지 않은가? 가장 푸대접을 받으며 "회초리를 가진 남자들" 아래서 일하던 여성들이 스스로 모이고 책을 읽고 토론하고 자기 생각을 가까스로 표현하고, 기다리고(그렇다, 기다리고!), 결국 성취하는 일. 울프는 이들이 쓴 글을 두고 이렇게 말한다.

이 목소리들은 침묵하다가 이제 겨우 거의 분명하지 않은 말로 솟아오르기 시작한 것이고요. 이들의 삶은

○ 같은 책, 132쪽.

아직도 깊은 무명 속에 거의 감추어져 있어요. 여기서 표현된 정도를 표현하는 데도 숱한 노고와 어려움이 있었지요. 이 글은 겨우 끌어 모은 여가 시간에 부엌에서 신경의 분산과 여러 장애와 싸우며 씌어졌어요.○

이제 겨우 거의 분명하지 않은 말로 솟아오르기 시작한 목소리, 이것이 최초의 여성 목소리가 아닌가. 소리가 있으나 너무 오래 소리를 내지 못했던, 망설이며 겨우 솟아오른 목소리. 이 시대의 여성이 연합하고 함께 구호를 외치고 글을 쓰거나, 강연을 하고, 매스컴에 나와 공정과 평등과 여권 신장을 당당하게 주장하기까지, 우리는 이 최초의 소리들, 어쩌면 최초 이전의 최초, 더 이전의 최초, 아득한 시절의 최초의 소리들까지 기억해야 한다.

버지니아 울프는 '지성과 논리와 설득'의 총을 들고

○ 같은 책, 136쪽.

세상을 향해 여성 인권을 요구한 사람이다. 총을 들었다는 것은 그녀의 언어가 그만큼 위협적이고(보수적인 사상을 가진 남성들을 위험하게 할 수 있고), 선동적이었단 뜻이다. "생각하는 것이 나의 싸움"이라고 말한 버지니아 울프는 무력이 아니라, 자신만의 논지로 여성이 스스로를 지킬 때 가져야 할 총을 나눠 주었다. 이 총은 쉽게 녹슬지 않고 앞으로도 계속 전달될 것이다.

나는 버지니아 울프를 통해 '자기만의 방'의 중요성을, 우리를 돌보기 위해 필요한 자본의 속성과 권리를 알았다. 이는 곧 여성이 혼자 있을 시간과 장소, 물질을 확보해야 한다는 것을 말한다. 나는 울프가 글쓰기, 페미니즘, 사회주의, 평화주의, 반제국주의, 반파시즘에 대한 자기 생각을 사회에 피력하기 위해 평생을 바쳐온 것을 보았기 때문에, 그녀가 우리의 선배인 덕분에 지금 나도 책상에 앉아 이 글을 쓸 수 있었다고 생각한다. 그녀는 여성과 남성의 차이를 논하기에 앞서 인간을 향한 근원적 물음을 던졌다. 모든 것에 앞서, 여자와 남자

이전의 존재('올랜도'), 최초의 물음을 손에 쥔 자, 버지니아 울프!

버지니아 울프

Virginia Woolf(1882~1941)

○

○

1882년 런던 남부 켄싱턴에서 부유한 귀족 집안의 딸로 태어났다. 이름은 애덜린 버지니아 스티븐이었다. 저명한 평론가이자 역사학자, 『영국 인명사전*Dictionary of National Biography*』의 편자였던 아버지에게 많은 영향을 받았다. 열세 살 때 어머니의 갑작스러운 죽음의 충격으로 정신 질환 증세가 나타났으며 1904년 아버지의 사망으로 더욱 악화되었다. 부모의 죽음과 의붓오빠들에 의한 성추행은 깊은 상처를 남겼다.

1905년 런던 블룸즈버리로 이주해 남동생 에이드리언을 주축으로 케임브리지 출신의 학자, 작가들과 블룸즈버리 그룹을 결성했고, 소설가 E. M. 포스터, 미술평론가 클라이브 벨, 경제학자 존 케인스 등 당대의 지성들과 교제하며 왕성하게 활동했다. 1912년 정치평론가 레너드 울프와 결혼했다.

1905년부터 《타임스》에 문예비평을 썼고, 1915년 첫 소설 『출항*The Voyage Out*』을 출판했다. 1925년 사랑과 결혼의 딜레마를 새로운 기법으로 그린 작품 『댈러웨이 부인*Mrs Dalloway*』으로 성공을 거두었다. 이후 『등대로*To the Lighthouse*』(1927), 『올랜도*Orlando*』(1928), 『파도*The Waves*』(1931)를 발표하며 의식의 흐름 기법을 개척, 실험적 모더니스트로서의 명성을 얻었다. 페미니즘의 선구자로 평가받으며, 여성의 물적·정신적 독립을 역설한 『자기만의 방*A Room of One's Own*』(1929)은 페미니즘 비평의 교과서로 여겨진다.

1941년 3월 28일 남편과 언니에게 편지를 남기고 산책을 나가 외투 주머니에 돌을 집어넣은 채 우즈강에 걸어 들어가 생을 끝마쳤다.

여성의 자유를 춤추다

이사도라 덩컨. 이름 안에 이미 춤을 가진 여자! 그녀의 이름에는 회오리 같은 한 번의 턴과 뒤이은 점프 동작이 들어 있다. 이름을 포함한 모든 것이 '춤'으로 이루어진 사람. 세상을 뒤집어놓은 자유분방함, 남편 없이 두 아이를 낳아 키우겠다고 선언하고 실천한 일, 자유로운 연애들, 끔찍한 사고(두 아이의 죽음과 남편인 시인 예세닌의 자살, 자신의 죽음)마저 모두 그녀가 추는 춤의 일부일 것만 같다.

어떤 죽음은 삶보다 더 생생해서, 그를 논할 때 삶보

다 죽음을 먼저 떠올리게 된다. 이사도라 덩컨의 나이 마흔아홉, 스카프 자락이 스포츠카 바퀴에 끼어 모가지가 부러져 즉사했다. 누군가에게 이 이야기를 처음 들은 중학생 때도 그녀에 대한 글을 쓰고 있는 지금도 나는 이 강렬한 이미지에 사로잡혀 있다. 할 수 있다면 그녀의 죽음을 주제로, 한 시간짜리 음악을 작곡해 듣고 싶다. 잠실 운동장을 다 덮는 크기의 그림 한 장을 그려 바라보고 싶다. 너무 거대해서 한눈에 볼 수 없는 그림. 혹은 다섯 명의 무용수가 스카프만 걸치고 등장해 그녀의 죽음을 춤으로 표현하는 무대를 보고 싶다. 그녀의 마지막을! 물론 내 비열한 욕망이다. 남의 죽음을 이렇게 상상하고, 보고 싶어 하는 욕망이라니! 부끄러운 줄 알아야지. 하지만 이 죽음은 지나치게 동적인 죽음이 아닌가? 죽음이 동적일 수 있다니, 이토록 과감하게 움직이다니! 죽음이 이토록 날뛰고, 춤을 출 수 있다니! 그녀의 죽음은 당하는 자의 몸을 잠식해 영혼을 빼앗는 것이 아니라, 들이닥쳐 몸을 타고 넘으며 활개 치는 죽음이다. 모가지째 떨어지는 동백처럼, 그녀는 삶에서 떨어졌다. 순식간에. 아는가? 나뒹구는 모든 것은 떨어진 것이다. 나는 떨어진 것들을 특별히 사랑한다.

이런 까닭에, 상상 속에서 덩컨의 죽음을 여러 번 그려봤다. 이 모든 게 바람의 장난에서 시작했을 것이다. 통통하고 기다란 모가지에 우아하게 스카프를 두르고, 자동차를 향해 걸어가는 모습. 머리카락을 헝클고 옷자락을 펄럭이게 하는 바람의 수작에 덩컨은 기분 좋게 응한다. 문을 열고 시트에 앉아 다시 문을 닫아도, 바람은 그녀의 곁을 떠날 필요가 없다. 닫을 창문이 없으므로. 바람은 속삭인다. 가자. 그곳이 어디든. 같이 가자. 차가 출발하자 바람은 그녀의 머플러에 몸을 밀착해 매달리고, 무게를 싣는다. 육중한 바퀴에 얇고 기다란 천이 순식간에 감긴다. 팽팽하게 긴장한 붉은 스카프가 덩컨의 목을 휘감을 때, 속도는 달아나면서 커진다. 속도는 그것이 '속도'이기 때문에 멈출 수가 없다. 그녀의 모가지는 짧은 순간에 꺾인다. 삶이 브레이크를 걸듯이. 얼굴과 몸이 만나는 '유일한 통로', 목은 막힌 통로가 된다. 아무도 얼굴을 몸이라고 하지 않고, 몸을 얼굴이라고 하지 않는다. '목' 때문에 얼굴과 몸은 서로 만나 하나의 완결한 존재가 된다. 그 통로가 끊어지는 순간, 그녀의 춤도 멈춘다. 허공에서 멈춘다.

내가 이사도라 덩컨이나 피나 바우슈처럼, 몸을 사용해 감정을 표현하는 무용가에게 관심이 많은 까닭은 몸이 가장 효과적이고 아름다운 표현 수단이기 때문이다. 일전에 어느 글에서 춤은 말보다 앞선 언어라고 쓴 적이 있다.

춤은 감정의 소용돌이에서 몸과 박자를 같이한다. 감정과 몸을 거의 동시에 움직이게 한다. 무용수가 슬픔에 대해 춤을 추려 할 때, 몸속에서 일어나는 슬픈 감정과 표현으로써 동작은 동시 사건으로 벌어진다. 춤은 그 자체로 사건이다(말은 사건 이후에 오거나, 사건을 처리하기 위해 등장한다). 무용수가 점프를 할 때 그의 몸을 타고 뛰어오르는 두려움이나 슬픔, 격정과 환희의 감정은 몸을 통해 실제 높이를 입는다. 무용수가 사랑을 연기할 때, 그는 발가락 끝부터 머리카락 끝까지 사

랑을 소용돌이처럼 이끌고 돈다. 관객에게 알린다. 사랑이라고, 내가 사랑이라고![○]

이사도라 덩컨은 '춤' 하면 모두 '발레'를 떠올리던 시대에 정형화된 규율과 기교에 의해 표현하는 발레를 비판했다.

발레는 아름다운 여성의 신체를 무리하게 변형시킬 것을 요구하고 있다! 어떠한 역사적인, 혹은 안무적인 이유도 이를 합리화할 수 없다![○○]

그녀는 딱정벌레의 움직임이 그 몸의 형상과 어울리는 것처럼, 나뭇잎의 움직임이 그 형상과 어울리는 것처럼 '자연스럽게' 춤춰야 한다고 강조했다. 개인의 체형에 따라 움직임이 다를 수밖에 없으므로 "두 사람의 춤은 결코 똑같아서는 안 된다"고 했다. 그녀는 20세기

○ 박연준, 『소란』, 북노마드, 2014, 218쪽.
○○ 이사도라 덩컨, 『이사도라 덩컨의 무용에세이』, 범우사, 1982, 25쪽.

현대무용의 창시자다. '이사도라 덩컨'이라는 새로운 장르를 만들었고 자신만의 무용 이론을 세웠으며, 이를 토대로 새로운 춤을 발명했다. 전 세계에 덩컨 무용 학교를 세우겠다는 소망을 가지기도 했다.

> 이 학교에서는 내 동작의 모방을 가르치는 것이 아니라 그녀들 자신의 동작을 하도록 가르친다. 나는 그들에게 어느 규정된 동작을 배우라고 강요하지 않는다. 그녀들이 무리하지 않은 동작을 전개하도록 나는 그녀들을 도울 것이다. 춤을 배운 적이 없는 어린아이의 동작을 보는 사람은 누구나 그 동작이 아름답다는 것을 부정하지 않는다. 그것이 아이들에게는 무리한 것이 아니기 때문에 아름다운 것이다.○

무대에서 맨발로, 거의 아무것도 걸치지 않은 자연스러운 몸으로(덩컨은 "예술에 있어 가장 고귀한 것은 나

○ 같은 책, 33쪽.

체"라고 했다), 어떤 동작의 구애도 받지 않으며 춤추는 여성을 상상해보라. 그리스의 신처럼 당당하고 건강하며 우아한 여자. 날씬하고 예뻐 보이는 동작 대신, 위대하고 자연스러워 보이는 신의 움직임! 그녀는 진정한 여성 해방을 몸으로, 춤으로 보여주었다. 그녀가 간곡히 바라던 '미래 무용가'의 모습은 놀랍게도 지금 우리가 여전히 바라는 여성상과 일치한다.

> 미래의 무용가란, 혼의 자유로운 언어가 신체의 동작이 될 때까지 그 신체와 혼이 함께 조화 있게 발달한 사람을 말한다. 그 무용가는 한 민족의 것이 아니라 전 인류의 것이 되리라. 그녀는 님프의 모습으로, 선녀의 모습으로, 요염한 여자의 모습으로 춤추지 않고, 가장 위대하고 순수한 표현을 하는 여성의 모습으로 춤을 추리라. 그녀는 여성의 몸이 지닌 사명과 그 모든 부분 부분의 성성聖性을 인식하고 있으리라. 그녀는 변화하는 자연계를 춤추며 각각의 부분이 어떻게 다른 부분으로 변형되는가를 보여준다. 그녀의 몸의 모든 부분에서는 빛

나는 지성이 방출되고, 수많은 여성의 사상과 희망의 말을 세상에 전하리라. 그녀는 여성의 자유를 춤추어야 한다. 오오, 얼마나 멋진 무대가 그녀를 기다리고 있는 것일까? 미래의 무용가가 가까이에 있고, 가까이 접근하고 있는 것을 당신은 모르는가![○]

20세기 초 이런 글을 쓰는 무용가라니! 멋지지 않은가? 여성은 정형화된 아름다움, 인위적으로 만들어낸 부자연스러운 미美를 가질 필요도, 그것에 집착할 필요도 없다. 진정한 아름다움은 건강하며 당당하고 자연스러운 태도, 자기 자신인 것에서 나올 테니까.

○ 같은 책, 36쪽.

이사도라 덩컨

Isadora Duncan(1877~1927)

○

○

1877년(혹은 1878년) 샌프란시스코에서 네 남매 중 막내로 태어났다. 출생 직후 아버지가 경영하던 은행의 파산과 이혼으로 가난하게 자랐다. 생계를 위해 재봉과 피아노를 가르쳤던 어머니에게서 음악적 재능을 물려받아 어릴 때부터 춤을 추기 시작했다.

미국에서 데뷔했으나 인정받지 못했고, 파리에 건너가 주목을 받았다. 엄격한 발레의 형식에서 벗어나 육체를 속박하는 의상 대신 비치는 의상을 입고 맨발로 춤을 추어 충격을 주었다. 덩컨은 춤을 고대 그리스로부터 이어진 자연스러운 움직임으로 인식했으며, 인생의 모든 감정을 표현하는 것으로 여겼다. 부다페스트, 베를린, 피렌체 등 유럽에서 환영받았고, 1904년 베를린에 무용 학교를 세웠다. 러시아로 건너가 러시아 무용계와 젊은 무용가들에게 큰 영향을 주었으며 모스크바에 학교를 설립하여 무용 교육에 힘썼다.

덩컨은 무신론자이자 양성애자였고, 당대 예술가와 유명인들과의 자유분방한 연애로 유명했다. 무대미술가 에드워드 크레이그와의 사이에서 딸 디어드리를, 재력가 패리스 싱어와의 사이에서 아들 패트릭을 낳았으나 1913년 자동차 사고로 두 아이를 잃었다. 러시아 혁명이 끝난 후 모스크바로 이주한 덩컨은 열여덟 살 연하의 시인 세르게이 예세닌을 만나 결혼했으나 오래가지 않았고, 예세닌은 덩컨과 헤어지고 난 후 손목을 그어 자살했다. 덩컨은 말년을 재정적인 어려움 속에 파리와 지중해를 오가며 지냈고, 1927년 니스에서 비극적인 죽음을 맞이했다.

주요 작품은 〈아베마리아〉(1914), 〈마르세예즈〉(1915), 〈슬라브 행진곡〉(1916) 등이 있으며 저서로는 자서전 『나의 인생*My Life*』(1927)이 있다.

밤에 죽은 고양이를
안고 가는 여인

밤의 민정.

이렇게 써놓고 혼자 발음해보니 참 좋아요. 언니와 밤은 퍽 잘 어울리네요. 두 어절은 꼭 고유명사 같아. 언니는 밤에 곧잘 깨어 있는 사람, 종종 우는 사람, 아직 일하는 사람, 내내 사랑하는 사람. 아닌가요?

작년 봄 언니가 사는 파주 교하로, 그것도 바로 앞 동으로 이사를 했어요. 자주 볼 순 없었지만 마음만은 '등을 대고 지내는 것처럼' 좋았죠. 요새는 꼭 마주 보고 무얼 도모하지 않아도, 등과 등을 붙이고 따뜻한 믿음으로 같이 가는 관계가 좋더라고요. 뒤에 잘 있구나, 온기를 느끼면서요.

파주는 지금 가을이 절정! 이곳에 오니 나무들이 달리 보이네요. 저건 살아 있는 짐승들이야, 생각할 때가 많았어요. 원래 짐승은 말이 없고 유순하면서 잔인하고, 아름답고, 펄럭이는 거잖아요. 모든 생명체가 멸종하고, 지구에 딱 한 종만 살아남을 수 있다면, 전 수종樹種이 살아야 한다고 생각해요. 나무들은 도시를 벗어날수록 싱싱해지고, 교하의 나무들은 기가 막히죠. 특히 여름과 가을의 나무들은 매일이 새로워 창문에 코를 박고 한참 바라보거나 산책길에 멈춰 서서 구경하곤 했어요. 언니나 저나 어떻게, 무슨 연유로, 남한 최북단에 자리 잡고 살게 됐을까요? 신기한 일이에요.

가끔 그날 밤을 생각해요.

교하의 한 참치가게에서 언니, 준이, 효인이, 저, 이렇게 넷이 만나 예정에 없던 저녁을 먹었죠. 저는 촌스럽게 참치를 전혀 못 먹는 바람에 동네에서 몰래 닭강정을 사 갔고요. 참치가 아니라 닭강정을 먹는 저를 보며 핀잔을 주던 준이도 닭강정을 먹어보더니 맛있다며 킥킥거렸죠. 싼 입맛을 어쩌겠냐고 웃으며, 우리는 즐거웠어요. 자정이 지났고, 아쉬웠던 우리는 한 잔만 더 하자고 술집을 기웃거렸죠. 그러나 건전한 동네 교하에는 자정 넘어서까지 하는 술집이 없었고, 곧 문을 닫는다는 가게 앞에서 할 수 없이 헤어지기로 했지요. 언니는 저를 이끌고 집으로 가는 대신 밤새도록 운영한다는 중국인 마사지 가게로 갔어요. 저는 술을 더 마시고 싶은 마음에 발을 동동 굴렀지만(그날따라 왜 그렇게 술이 맛있던지!) 곧 잠자코 따라갔지요. 약간 취기가 오른 두 여자가 소지품을 끄르고 편한 옷으로 갈아입고는 마사지를 받는 밤풍경. 이건 무슨 단편소설의 한 장면 같지 않은가요? 우리는 한 시간가량 얌전히 누워 건식 마사지를 받았죠.

새벽 1시 반 즈음 되었을 거예요. 술이 거의 깨서 대로변을 따라 걸어오던 우리는 깜짝 놀랐죠. 길에 고양이 한 마리가 죽어 있는 것을 발견했잖아요. 우리는 허리를 숙이고 고양이를 보았지요. 아직 성년이 되지 않은, 어린 고양이였어요. 얼굴 어딘가 좀 안 좋아 보였고요. 제가 물끄러미 고양이 사체를 보고 있는데, 언니는 겁도 없이 고양이의 가슴과 배를 만져보았어요. 심장이 뛰지 않는다는 것을 확인하고, 얘를 어쩌면 좋으냐고 발을 동동 굴렀지요. 길에서 죽은 고양이를 만나면 어찌 해야 하는지, 우리는 알지 못했으니까요. 솔직히 저는 좀 무서웠어요. 깊은 밤 길을 걷다, 고양이의 주검을 마주한 일이 좀 오싹했거든요.

"연준아, 이럴 때 어떻게 해야 하지? 응? 어떻게 해야 하나. 나이 마흔이 넘었는데 이럴 때 어떻게 해야 하는지도 모르다니. 어떻게 이럴 수가 있을까."

언니는 혼잣말처럼 되뇌었죠. 그날 밤, 하필 우리 둘이 걸어가는데, 마주한 게 죽은 고양이라니. 뭔가 의미심장했어요. 우리는 도저히 그냥 갈 수는 없다고 결론을 내렸죠. 둘은 편의점으로 가서 목장갑과 비닐을 사왔어요. 저는 무서워하며 비닐봉지의 입구를 벌렸고, 언니는 장갑을 낀 손으로 고양이를 살살 안아, 봉지 안으로 넣었어요. 이미 사후 경직이 일어나, 봉지 밖으로 고양이의 빳빳이 선 꼬리가 비죽 나왔지요. 저는 그 모습을 보고 또 조금(실은, 많이) 무서웠어요. 밤을 휘젓는 스틱이 있다면 꼭 저런 모양일 거야, 생각하며 덜덜 떨었는데! 언니는 마치 소중한 것을 끌어안은 듯, 죽은 고양이를 품에 안고 걸었지요.

"아직도 배 쪽은 따뜻해. 죽은 지 얼마 안 된 거야."

언니는 죽은 고양이를 안고, 저는 언니 소매를 붙잡은 채 집까지 걸어왔지요. 이상한 밤이네, 이상한 밤이에요, 이야기하면서. 차도 인적도 별로 없는, 고요한 겨울밤이었어요.

고양이를 묻어줄 순 없으니(동물 사체를 묻는 게 불법이란 것을 알고 있었고, 합법이래도 그 밤에 언니와 둘이 흙을 파서 무얼 묻는다는 상상을 하면 좀…… 저는 생각보다 간이 작아요!), 우리는 고양이를 싸서 잘 버려주자고, 마지막 가는 길을 돌봐주자고 했죠. 지하 주차장에 도착한 우리는 고양이를 잠깐 내려놓았어요. 제가 종량제 봉투를 가져오기로 하고 집으로 올라가려는데, 이상하게 떨렸어요. 언니, 괜찮겠어요? 혼자 (죽은 고양이와 지하에 둘이 남아 있어도) 괜찮겠어요? 몇 번을 물은 다음, 저는 집으로 달려갔어요. 가방을 팽개쳐 두고, 고양이를 담을 20리터짜리 종량제 봉투를 챙긴 다음 김치냉장고 쪽으로 뛰어갔어요. 구정에 선물로 들어온 '굴비'가 생각났거든요. 가엾은 고양이! 이승에서 배곯고 추웠을 고양이의 마지막 길이 외롭지 않게 해주고 싶었거든요. 굴비 한 마리를 키친타월에 싸 들고, 주차장으로 내려갔어요. 언니가 혼자 무서워할지도 모른다고 생각해 마음이 급했거든요. 그런데 웬걸! 언니는 혼자 죽은 고양이를 손수건으로 꼼꼼히 싸서, 염을 하고 있었어요. 다행히 손수건이 가방에 있었다며, 사체를 잘 싼 후 쓰다듬어주고 있었다고요. 순간 언니가 함지박처럼 커다랗게 보였어요. 죽음을 끌어안고, 잘 싸매고, 토닥이는 손길이라니. 누구나 죽음을 슬퍼할 수 있지만, 아무나 죽음을 끌어안고 쓰다듬진 못하거든요. 죽음을 만지는 일, 그건 '사랑' 없이는 힘들어요. 사랑이 없으면 죽음은 공포와 슬픔의 일일 뿐이에요. 슬프지만 선뜻 마주 보기 힘들고, 가능하다면 피하고 싶은 일이요. 한데 언니 안에는 사랑이 가득했어요. 그 밤, 생각했지요. 이 사람은 진짜 시인이라고.

"이 아이를 굴비라고 부르자."

그 밤 언니의 손길을 충분히 받은 굴비는 언니에게 이름까지 받고, 우리의 배웅을 받으며 떠났어요. 언니와 둘이 아주 무거운 비밀을 나눠 가진 것 같은 밤이었죠. 서로 포옹하고 등을 두드리곤 헤어지는데, 등 뒤로 기나긴 끈이 이어져 흔들리고 있다는 느낌이 들더군요. 등과 등이 연결되어 있는 느낌. 언니와 제가 '깊이' 닿아 있다는 확신.

이상한 밤의 일이었지요. 언니의 시처럼요.

> 밤마다 나는 어항 속으로 머리를 들이밀어요
> 들리거든요 금붕어의 반짝거리는 수다○

○ 김민정, 「열쇠魚」, 『날으는 고슴도치 아가씨』, 열림원, 2005, 19쪽.

요새 파주에서 기러기 떼가 줄지어 나는 풍경을 종종 마주쳐요. 그러면 저는 멍청하게 입을 벌리고 서서 한참을 바라보죠. 저는 기러기가 줄지어 날아가는 풍경보다 경이로운 풍경을 알지 못해요. 걔들은 어떻게 저렇게 간격을 잘 맞춰 줄을 서고, 간격이 흐트러지지 않게 조심하며 먼 길을 갈 수 있을까요? 기러기 떼가 날아가는 풍경을 보면서, 사는 일을 실감해요. 우리가 진짜 살아 있구나, 이 삶은 '현재'에서 지속되고 있구나, 느끼죠. 누군가와 오래, 멀리 가려면 저들처럼 적당한 간격을 유지해야 한다는 것도 생각해요. 언니는 늘 제 앞에 가는 기러기예요. 저는 뒤에서, 적당하고 친밀한 간격을 유지하며 따라가려는 기러기죠.

우리가 동시대에 태어나 동시대를 지나고 있다는 사실이 믿어지지 않아요. 놀라운 일이죠.

언니는 지금 독일에 있어요. 허수경 시인이 장례 절차를 부탁한 사람이 언니라서, 언니는 독일에 가 있지요. 기울어지는 존재들은 아나 봐요. 언니가 약한 존재를 끌어안고 보듬어주는 사람이란 것을. 그 밤, 작은 고양이도 길에 나와 자신의 죽음을 내보인 거예요. 언니에게.

"가난하고 외롭고 높고 쓸쓸하니"(백석) 살다 간 한 영혼의 죽음을 쓰다듬어 보내고, 언니는 돌아오겠죠. 아마 속으로 '내가 뭘 할 수 있을까, 뭘 해야 하지' 고민하겠지만 언니, 그거 아세요? 그렇게 질문하면서, 언니는 이미 많은 일을 하고 있는 중이란 걸요. 언니는 늘 일하는 사람. 사랑을 굴려 일하는 사람이잖아요. 사랑, 그건 언니의 성격이에요.

가끔 떠올려요. 커다랗고 까만 눈을 끔뻑이는 김민정 어린이가 가요무대를 보며 트로트 가사를 종이에 적어 내려가는 풍경을요. 아버지에게 가사를 알려드리기 위해서. 무릎을 꿇고, 또박또박 글씨를 썼다지요. 당신을 향해 이쪽의 언어를 전하는 일. 시의 일이죠.

곧 파주의 나뭇잎들이 다 떨어질 거예요. 비행 연습을 하던 기러기들도 멀리 떠나 보이지 않겠죠. 그러면 '빙하기'라 불리는 파주의 겨울도 다시 오겠죠. 그때 우리 동네 카페에 앉아 뜨거운 코코아를 마셔요. 떠난 굴비를 생각해요. 떠난 많은 사람들을 그리워해요.

안녕.

김민정

○

© 신재환

○

인천에서 태어났다. 중앙대학교 문예창작학과를 졸업했으며 동 대학원에서 석사과정을 수료했다. 1999년 《문예중앙》 신인문학상에 「검은 나나의 꿈」 외 9편이 당선되어 문단에 데뷔했다.

시집으로 『날으는 고슴도치 아가씨』(2005), 『그녀가 처음, 느끼기 시작했다』(2009), 『아름답고 쓸모없기를』(2016)이 있으며 산문집 『각설하고,』(2013)가 있다. 박인환문학상, 현대시작품상, 이상화시인상을 수상하였다.

문예중앙 편집장을 역임했으며 문예중앙시선을 책임 편집하면서 많은 젊은 시인들을 발굴하였다. 현재 문학동네시인선을 총괄 기획하고 있는 한편, 출판사 난다의 대표로 시집을 비롯하여 에세이, 기획 시리즈 등 다수의 다양한 책들을 지속적으로 출간하고 있다.

서로를 지키고 스스로를 지키는 일

백은선

×

레이디 가가

실비아 플라스

마리 로랑생

나탈리 포트만

이원

"누군가를 깊이 이해해보려는 시도는

얼마나 값지고 허무한 것인가?

얼마나 알고 가깝게 느꼈을까?

그 모든 이미지들 속에서 나는 과연 발견하였을까."

나,
이렇게 태어났어

"곡을 쓸 때는 마음의 상처를 이용할 수밖에 없죠. 그래서 음악 작업이 개복 수술 같다고도 해요." 레이디 가가「밀리언 리즌스Million Reasons」를 녹음하고 있을 당시 넷플릭스 다큐멘터리 〈레이디 가가: 155cm의 도발〉(2017)에서 한 말이다.

나는 이십 대 초반부터 우울하거나 견딜 수 없을 때면 헤드셋을 쓰고 노래를 아주 크게 듣곤 했다. 처음에는 레이지 어게인스트 더 머신RATM 같은 것을 들었고 그다음엔 모과이Mogwai, 모노MONO, 익스플로전스 인

더 스카이Explosions in the Sky를 들었다. 나중에는 다프트 펑크Daft Punk, 엠에이티쓰리M83, 프로디지Prodigy, 아비치Avicii 같은 일렉 사운드가 강한 음악을 듣게 되었는데 그러다 보니 어느새 레이디 가가도 듣게 되었다.

어두운 방에 멍하니 앉아서 볼륨을 최대로 해놓고 「포커페이스Poker Face」, 「배드 로맨스Bad Romance」, 「본 디스 웨이Born this way」 같은 곡의 뮤직비디오를 보며 시간을 보냈다. 왜 그랬는지는 나도 모르겠다. 진공에 가깝게 꽉 들어찬 음악이 좋았고 또 그게 필요했다. 몇 시간씩 그렇게 있다 보면 가슴에 맺힌 멍울 같은 것들이 조금씩 사그라지는 느낌도 들었다. 몸을 울리는 거대하고 입체적인 비트와 소란이 좋았다. 그것이 나를 도왔다. 나아지도록, 다시 밖으로 나갈 수 있도록, 낮의 얼굴로 돌아갈 수 있도록, 잘 지내냐는 물음에 웃으며 잘 지낸다고 말할 수 있도록.

레이디 가가가 괴상한 옷을 입은 채 퍼포먼스를 하고 소문을 몰고 다니는 사람이라는 것을 알고 있었고 그 점 또한 내게 매력으로 다가왔다. 하지만 나는 단지 그 음악들을 가능한 한 크게 듣는 것이 좋았다. 어둠을 관통하기 위한 자신만의 방법들을 모두 하나쯤은 갖고 있게 마련이고 내가 가진 방법들 중 하나는 시끄러운 음악을 가장 시끄럽게 듣는 것이었으니까. 그게 내가 날 돕는 방법이었으니까.

레이디 가가는 이탈리아계 미국인이다. 영화 〈대부〉(1912)를 본 사람들은 알겠지만 이탈리아계 사람들은 가족을 끔찍하게 여긴다. 그녀는 부유하고 보수적인 가톨릭 집안에서 자랐다. 다소곳한 소녀가 어떻게 지금의 레이디 가가가 되었을까? 그녀는 네 살 때부터 악보 없이 피아노를 연주했고 열일곱에는 뉴욕대학교에 조기 진학했다. 하지만 그녀의 기질과 스타일을 사람들이 등한시하고 조롱했기 때문에 곧 자퇴했다고 한다. 나는 괴짜 같은 차림새를 하고 나이 많은 동기들 사이에서(열일곱 살의 눈에 스무 살은 얼마나 어른 같았을까!) 외롭고 꼿꼿하게 자신을 지키려 애썼을 어린 레이디 가가를 상상한다.

어떤 글에도 쓴 적이 있지만 나는 오랜 기간 따돌림

을 당한 경험이 있다. 그것은 영혼에 끔찍한 그을음을 남겼다. 결코 어떤 구원으로도 그 흔적을 지울 수 없다는 것을 알고 있다. 나는 레이디 가가를 생각하면 흔들리는데, 그건 사랑에 빠지는 것과 유사하다. 처음 나를 매혹한 음악 외에, 그녀의 삶의 궤적을 알게 될수록 더 더욱 내가 그녀의 가까이에 있는 것처럼 마음이 기울어진다. 나는 그런 사람들이 좋다. 화려하고 쿨해 보이지만 그 내면에 모순된 점이 있는 사람. 가장 어두운 것이 무엇인지 알 것 같은 사람. 그렇지만 그것을 결코 과장해서 드러내거나 서툴게 자기연민 하지 않는 사람. 이런 내 마음은 이해받고 싶은 충동에서 시작된다는 것을 안다. 어쩐지 부끄럽고 잘못된 것만 같다.

레이디 가가가 처음부터 가수였던 건 아니다. 작사, 작곡하는 일로 음악을 시작했다가 우연한 기회에 노래를 하게 되었다고 한다. 지금 그녀는 여성 팝스타로서 정상에 서 있다고 해도 과언이 아니다. 다큐멘터리에서 그녀는 슈퍼볼 하프타임 쇼° 공연이 끝나고 집으로 돌아와 말한다.

나는 온종일 사람들에게 둘러싸여 있고 정신없이 지낸다. 그런데 밤이 되면 내 곁에는 아무도 없다. 나는 혼자다.

스타에게 외로움은 어떤 것일까? 그 간극 때문에 더 커다란 고독을 느낄 것 같다고 짐작하기는 하지만 나는 그 마음을 다 알 수 없다. 그런데도 왠지 그 외로움만은 알 것 같다. 다큐멘터리를 보고 난 뒤 며칠 동안 거기서 빠져나오지 못했다. 그녀를 끌어안고 싶었다. 그녀에게 말하고 싶다. 내가 여기 있다고, 다 괜찮다고.

레이디 가가는 최근 그간의 앨범과 완벽하게 다른 스타일의 앨범 『조앤*Joanne*』을 발표했다. 조앤은 그녀의 미들 네임이자 어린 나이에 세상을 떠난 고모의 이름이다. 아마도 레이디 가가는 스스로가 고모 대신 살고 있다는 마음, 누군가의 죽음으로 자신이 존재하게 되었다

○ 세계 최대 규모의 스포츠 행사이자, 온 미국을 들끓게 하는 미국 미식축구리그(NFL) 결승전인 슈퍼볼 중간에 진행되는 공연. 마이클 잭슨, 스티비 원더, 마돈나, 비욘세 등이 무대에 섰다. 레이디 가가는 2017년에 공연했다.

는 부채감 같은 것을 갖고 있었던 모양이다. 살려면 팔다리를 잘라야 했다고, 그 꼴로 살게 할 순 없었다고, 그래서 수술을 받지 않게 했다고. 레이디 가가가 만나본 적도 없는 고모를 향해 갖는 그런 마음. 그리고 나의 마음.

정말로 살아 있어야 했을 누군가 대신 세상을 차지하고 있다는 죄책감. 나에게 삶 같은 건 아무것도 아니라는 게 부끄러웠다. 정말로 살고 싶은 사람들에게 생명을 나눠 주고 싶었다. 그래서 이 앨범이 그간 내가 좋아했던 그녀의 (신나는) 음악과 다른 결을 갖고 있었지만 유독 아프게 와 닿았다. 앨범 속 가사들은 그녀의 고모에 대한 헌사이자 스스로에게 하는 이야기처럼 느껴진다.

> 내 손을 잡고 머물러주세요, 조앤
> 천국은 당신을 맞이할 준비가 되지 않았는걸요
> 내 마음의 아픈 모든 부분은
> 천사들보다 당신을 더 필요로 하고 있어요

[……]

소녀여

당신이 어디로 가고 있는지 알고 있나요

그럴 수만 있다면, 당신이 머물렀을 걸 알아요

우린 모든 일이 뜻대로 되지 않는다는 걸 잘 알죠

난 작별 인사를 하지 않겠다고 약속했죠

그래서 미소를 띠었고 목소리는 가늘어져요

Take my hand, stay Joanne.

Heaven's not ready for you.

Every part of my aching heart

Needs you more than the angels do.

Girl,

Where do you think you're goin'?

[……]

If you could I know that you'd stay.

We both know things don't work that way.

I promised I wouldn't say goodbye.

So I grin and my voice gets thin.

— 레이디 가가, 「조앤」

레이디 가가는 말한다. 예술가는 대중이 원하는 모든 해석이 가능하게끔 해야 하며 위로가 되어야 한다고. 그녀는 그녀의 가족에게, 대중에게 그리고 내게 큰 위로가 되어주었다. 그런데 그녀는 누가 위로해주지? 그녀는 사랑을 찾는다. 그녀가 얼마나 연한 속을 갖고 있는지 알 것 같다.

글로리아 올레드○는 말했다. 나도 글로리아 올레드가 지켜줬으면 좋겠다는 생각을 했다고. 그러다 잠깐만, 내가 글로리아 올레드잖아, 하고 생각했다고. 우리는 이렇게 서로를 지키면서 스스로를 지켜야 한다고, 근래 자주 생각한다. 레이디 가가도 그런 생각을 할까? 했으면 좋겠다. 자신이 얼마나 큰 힘을 가진 사람이며 많은

○ 미국의 여성인권 변호사. 그녀가 궁금하다면 다큐멘터리 〈글로리아 올레드: 약자 편에 선다〉(2018)를 추천한다.

위로를 주는지 알고 그 위로를 안으로 돌리는 힘을 가졌으면 좋겠다. 이건 내가 나 자신에게 하고 싶은 이야기이기도 하다.

나는 언제나 어둡고 긴 터널을 빠져나온 여성의 이야기를 좋아한다. 아주 거칠고 날것 그대로인 음악도 좋아하지만 레이디 가가가 만들어내는 아름답고 세련되며 매끈한 음악도 좋다. 완벽한 안무를 추는 수십 명의 댄서들과 그 가운데서 빛나고 있는 작은 체구의 그녀가 좋다.

레이디 가가

Lady Gaga(1986~)

○

○

1986년 미국 뉴욕에서 이태리계 미국인 부모 아래 태어났다. 본명은 스테퍼니 조앤 앤젤리나 제르마노타이다. 레이디 가가라는 예명은 퀸의 「라디오 가가」(1984)에서 온 것이다.

네 살 때부터 피아노를 배웠고 열세 살 때 작곡을 시작했다. 뉴욕

대학교의 예술학부를 1년 만에 중퇴하고 음반사에 작곡가로 취직했으나 빛을 보지 못하다가, 2008년에 데뷔 음반 『페임*Fame*』을 발표했다. “사람들이 명성을 어떻게 생각하는지를 담”은 이 앨범으로 그녀는 세계적인 명성을 얻었다. 이 앨범에 수록된 곡 「저스트 댄스*Just Dance*」와 후속곡 「포커페이스*Poker Face*」는 빌보드 싱글 차트를 비롯한 전 세계 각종 음악 순위 1위를 휩쓸며 레이디 가가 신드롬을 낳았다.

파격적인 패션과 퍼포먼스, 탄탄한 보컬 실력과 중독성 있는 음악으로 자신만의 세계를 구축해온 레이디 가가는 1억 4천만 장 이상의 싱글 판매 기록을 보유하고 있다. 또한 여섯 번의 그래미상, MTV 비디오 뮤직 어워드, 송라이터 명예의 전당 컨템포러리 아이콘상 등 수많은 상을 수상한 아티스트이기도 하다. 2013년 《포브스》가 발표한 ‘가장 영향력 있는 음악인’ 1위에 선정되었으며, 2018년 빌보드의 ‘21세기 가장 위대한 뮤직비디오 100’에서도 가가의 「배드 로맨스*Bad Romance*」가 당당히 1위를 차지했다.

배우로도 활약 중이며, 성소수자를 지지하는 사회 활동 및 아이티 지진, 에이즈 퇴치 등 적극적인 자선 활동으로도 유명하다.

꼭 우리 같다

실비아 플라스를 생각하면 가끔 나는 내가 실비아 플라스 같다. 그녀와 영혼을 함께 쓰고 있는 것처럼 친밀한 느낌이 든다. 아마 나만 그런 건 아닐 테고, 많은 여성 창작자들이 알게 모르게 그녀와 영혼의 한 구석을 공유하고 있지 않을까. 유년 시절의 불행, 일찍부터 시작된 자살의 열망, 사랑, 엄마로서의 삶, 자기 자신을 던져 시를 쓰던 것까지 전부. 그녀가 아직 살아 있다면 우리는 가장 친한 친구 혹은 연인이 될 수도 있었을 것이다. 나는 어쩐지 그녀와 내가 포개져 있다고 여긴다.

아프고 내밀한 방식으로. 생존과 존엄과 문학에 대한 열정의 전반에 걸쳐.

처음 실비아 플라스에 매료된 건 「아빠」를 읽고 나서였다.

> 당신의 살찐 검은 심장에 말뚝이 박혀 있지.
> 그리고 마을 사람들은 당신을 조금도 좋아하지 않았지.
> 그들은 춤추면서 당신을 짓밟지.
> 그들은 그것이 당신이라는 걸 언제나 알고 있었지.
> 아빠, 아빠, 이 개자식, 나는 다 끝났어.○

이 마지막 연이 가진 파격과 힘에 사로잡혔다. 그래서 유튜브도 찾아보고 실비아 플라스의 낭독도 듣고 인터뷰도 보았다. 그녀의 단단한 목소리, 영국식 악센트와 원문의 운율에 나는 한 번 더 매료되었다. 하루에 몇 번씩 들어도 질리지 않았다. 그녀의 목소리 한 음 한 음

○ 실비아 플라스, 「아빠」, 『실비아 플라스 시 전집』, 마음산책, 2013, 457쪽.

과 억양들이 갈고리처럼 마음에 들어와 박혔다.

그 후 『실비아 플라스 시 전집』이 출간되자마자 나는 바로 그것을 샀다. 매일 엄청나게 무거운 벽돌 같은 책을 들고 다니면서 버스에서 지하철에서 누군가를 기다리는 카페에서 한 줄 한 줄 조금씩 읽었다. 나는 그중 「은유」, 「생일을 위한 시」, 「튤립」, 「아빠」, 「에어리얼」, 「가장자리」가 제일 좋다. 다른 좋은 시들도 많고 습작기 특유의 재밌고 거친 시들도 많았는데, 모두 실비아 플라스의 시임에 틀림없었다. 그녀만의 결이 깃들어 있었다. 찢어지는 듯한 폭발과 기묘함, 고통을 고통으로 고스란히 두는 것 혹은 반대로 완전히 모든 것을 뒤엎어버리는 뒤섞인 감정들.

나는 그녀의 시에 많은 영향을 받았다. 분방함과 자기를 시 속에 던지는 글쓰기, 그 분투를. 첫 시집 『가능세계』(문학과지성사, 2016)가 나오고 재미공작소에서 낭독회를 하게 되었을 때 나는 『실비아 플라스 시 전집』을 함께 읽을 책으로 선정했고, 그 시들을 전부 읽었다. 하나하나 읽고 내가 어떻게 느꼈는지 어느 부분이 제일 좋은지 제일 슬픈지 낱낱이 이야기했다. 실비아 플라스의 시들뿐 아니라 테드 휴스의 시도 함께 읽었다. (김승일이 와서 읽어주었다.) 좋은 날이었다. 스무 명 남짓 앉혀놓고 실비아 플라스의 시를 원 없이 낭독하고 이야기를 나눌 수 있었으니까.

한편으로는 참 웃긴 일이라는 생각도 들었다. 만약에 실비아 플라스가 유령이 되어 상공에서 그 꼴을 보고 있었다면 기분이 어땠을까. 웃지 않을 수 없었을 것이다. 테드 휴스라니! 테드 휴스라니! 찡그린 얼굴로 웃고 말겠지. 보통 시인 부부들의 시는 시 세계의 유사한 구석이 눈에 자주 띈다고 생각했는데, 둘의 시를 한자리에서 나란히 놓고 읽으니 참 다르다는 생각이 들었다. 언어가 발화되는 근원적 지점부터가 어긋나 있었다. 둘 다 결코 누구도 꺼뜨릴 수 없는 각자만의 빛과 어둠이 마음 안에 있었겠지. 그 둘의 불화를 시에서부터 떠올려보는 나는 참 고약하다. 작가의 사적인 삶을 투영한 글 읽기를 싫어하기에, 그런 생각이 들곤 하면 화들짝 놀라 스스로의 생각을 단속한다. 하지만 나는 그들의 그림자를 결코 알 수 없다. 단지 짐작해볼 뿐이다.

사람들은 '실비아 플라스'라고 하면, 그녀의 죽음을 가장 먼저 떠올린다. 그녀의 죽음만큼 연극적인 것이 없다. 아니면 너무나 그녀답다고 해야 할까. 그 또한 사후적인 판단이 만들어낸 신화임에는 틀림없지만. 오븐에 들어 있는 새파랗게 질린 머리통이 자꾸 생각난다. 너무나 시 같아서 전혀 시 같지 않게 느껴진다. 그냥 죽음 그 자체. 오래오래 곱씹다 보면 점점 더 슬퍼진다. 어딘가 우스꽝스럽고 비장한 슬픔이 있다. 말로 할 수 없는 어떤, 긴 생에 붉게 그어진 획 같은 아픔이 있다. 그녀는 죽었다. 오래도록 평생에 걸쳐 시도했던 자살이 완성되었다. 그렇게 되기 위해 이제까지 살아 있었다는 양. 삶의 현상과 과정을 죽음으로 수렴하는 것은 옳지 않지만 그녀의 죽음을 바라보는 누군가는 은밀하게 그런 생각을 하게 될지도 모른다. 이런 생각들을 속으로 곱씹고 있는 내가 싫다.

그녀가 죽고 나서 테드 휴스가 그녀의 글을 편집해

서 출판했다. 그는 전집 서문에 모든 작품이 실려 있음을 확신한다고 썼지만 나는 그 과정에서 누락된 글들이 있었을 거라는 의심을 종종 한다. 그녀의 일기나 시에서 테드 휴스로 인해 지워진, 모두가 그대로 읽어야 했을 또는 테드 휴스가 진짜로 감추고 싶었을 무엇이 있었을지 모른다고. 이렇게 말하는 내가 지나친 것일까? 이미 벌어진 일이고 오래전의 일이니 어떤 의견을 가져도 바꿀 수 있는 건 없겠지만.

> 평화로움이란 결국 죽은 사람들이 가까이 오는 것.
> 나는 그들이
> 성찬식 명판처럼, 평화로움을 입에 넣고 다무는 모습을 상상한다.○

그녀는 이제 평화로움 속에 있을까. 이토록 기울어진 어둠을 평화라고 담담하게 적어놓은 그 마음을 감히

○ 「튤립」, 같은 책, 329쪽.

알 것도 같다.

기에게.

나는 자주 내가 아닌 다른 존재가 되고 싶다고 생각했어. 모든 것을 버리고 도망치고 싶다고 생각했어. 우리는 함께 그녀의 시를 읽었지. 그리고 함께 반짝이며 두근대며 빠져들었지. 그녀만은 내 마음을 알아줄 것 같다는 생각이 들었어. 만약 그녀가 나의 언니라면 나의 동생이라면 나의 쌍둥이라면. 우리는 밤새 이불 속에 고개를 파묻고 얘기하겠지. 새로 알게 된 슬픔과 잊을 수 없는 슬픔을, 사랑과 증오가 한 몸이라는 사실을, 삶의 비밀과 비정을, 언어의 무력과 강력을. 나는 초등학생 때부터 시를 썼어. 사실 그건 그냥 낙서였을지도 몰라. 시라고 믿었어. 지금 우리는 멀리 떨어져 있지. 그래도 네가 어디선가 실비아 플라스의 시를 읽거나 듣게 된다면 나를 떠올려줬으면 좋겠어. 나도 너를 생각할게. 너에게 이 문장을 줄게.

기적은 일어난다. 기다림은 다시 시작되었다,

드물게 느닷없이 하강하는

천사에 대한 그 오랜 기다림이.○

○ 「장마철의 까마귀 떼」, 같은 책, 109쪽.

실비아 플라스

Sylvia Plath(1932~1963)

○

○

1932년 미국 보스턴에서 태어났다. 생물학 교수였던 독일계 미국인 아버지는 실비아 플라스가 여덟 살 때 당뇨병으로 인한 합병증을 폐암으로 착각하여 치료를 거부한 채 자신의 서재에서 자살했다. 아버지의 죽음은 그녀에게 평생 지울 수 없는 상흔으로 남았다.

여덟 살 때 처음 《보스턴 헤럴드》에 시를 발표했을 만큼 뛰어난 문학적 재능을 타고난 그녀는 스미스 대학교를 장학생으로 입학해 수석 졸업하는 등 겉보기에는 모범적으로 살았으나 내면에는 근원적인 고통을 안고 있었다. 《마드모아젤》의 객원 기자로 활동하던 1953년 수면제를 복용해 자살하려 했으나 시도에 그쳤고, 충격요법을 병행한 정신 질환 치료를 받았다. 이 시기의 경험은 사망 직전에 발표된 자전적 소설 『벨 자 *Bell Jar*』(1963)에 묘사되어 있다.

졸업 후 그녀는 풀브라이트 장학생으로 케임브리지 대학교 뉴넘 칼리지에서 문학을 공부했다. 그곳에서 영국 시인 테드 휴스를 만나 결혼했다. 이후 모교인 스미스 대학교에서 영문학을 가르쳤으며 두 아이를 낳았고, 1960년 첫 시집 『거대한 조각상 *The Colossus and Other Poems*』을 출판했다.

1962년 테드 휴스의 외도에 따른 불화로 별거에 이르렀고, 이 시기 그녀는 시 창작에 몰두했다. 이듬해 2월, 생계 문제로 인한 스트레스와 극도의 우울증에 시달리다가 서른한 살의 나이에 자살로 생을 마감했다. 비극적인 죽음 이후 컬트적인 명성을 얻었다.

사후에 테드 휴스에 의해 『실비아 플라스 시 전집 *The Collected Poems*』(1981)이 발표되었으며, 작가의 사후에 출판된 시집 중 최초로 퓰리처상을 수상했다.

순수를 마주하는 기쁨

기욤 아폴리네르의 시로 마리 로랑생을 처음 알았다. 그녀는 「미라보 다리」의 주인공이자 그의 연인으로 내게 처음 각인되었다. 화가이자 시인, 삽화가, 무대와 의상 디자이너이기도 했던 마리 로랑생. 전쟁으로 인해 고향으로 돌아오지 못하고 망명 생활을 해야 했던, 가장 사랑하는 사람을 잃고 살아야 했던 마리 로랑생. 그녀의 마음을 생각한다.

지루하다고 하기 보다 슬퍼요.

슬프다기보다

불행해요.

불행하기보다

병들었어요.

병들었다기보다

버림받았어요.

버림받았다기보다

나 홀로.

나 홀로라기보다

쫓겨났어요.

쫓겨났다기보다

죽어 있어요.

죽었다기보다

잊혀졌어요.○

19세기에 미혼모의 딸로 태어나 어린 시절을 그림자

○ 마리 로랑생, 〈색채의 황홀 마리 로랑생 展〉, 『Marie Laurencin The Bliss of Colors』, 히로히사 요시자와 외, 김지영 옮김, GA북스, 2017, 26쪽.

처럼 살았고 여성으로 예술가로 질곡 많은 삶을 살아냈던 그녀의 그림을 본다. 그녀의 그림은 파스텔 톤의 온화한 빛으로 가득하고 언뜻 샤갈의 그림이 떠오르기도 한다. 그 유연하고 아름다운 화풍에 담긴 비밀, 날 서린 치명致命, 숨겨진 고뇌와 비통은 대체 무엇일까. 마리 로랑생을 움직이게 한 것은 무엇이었을까. 어떻게 해서 그녀는 온전히 자기 자신의 스타일이라고 할 수 있는 화풍 속으로 들어갈 수 있게 된 것일까. 초기작부터 말년의 그림들까지 쭉 훑어보면 그런 생각들을 놓을 수 없게 된다. 그 중심에 태생과 사랑, 전쟁, 불행, 분투를 지나온 자의 강인함이 있다.

벨 에포크라고 불리던 '아름다운 시절', 그녀는 예술의 중심이었던 파리의 공동 작업실 '세탁선Bateau-lavoir'에서 피카소를 만난다. 그녀는 초기에 모딜리아니, 장 콕토, 마티스 같은 화가들과도 교류하며 야수파, 입체파의 화풍에 영향을 받아 강한 선과 색 짙은 그림자가 드리운 그림들을 그렸다. 그 시기의 그림들은 현재 마리 로랑생의 대표적인 작품들과 연결되는 지점들도 있지만, 무연한 눈으로 볼 때는 같은 사람이 그렸는지 알아볼 수 없을 만큼 다르다.

그녀는 파리에서 그림을 공부하던 시절 피카소의 소개를 통해 기욤 아폴리네르를 만나게 된다. 둘은 모두 사생아였고, 그래서 서로 끌리고 사랑에 빠지게 되었다고 기록들은 말한다. 정말 그럴까. 나는 그저 그들이 서로에게서 서로만이 이해할 수 있는 부분을 보았다고 그래서 더더욱 끌리게 되었다고만 믿고 싶다. 그늘 속에서 부풀어 오르는 작은 숨들이라고. 더 내밀해질 수 없을 만치 내밀했던, 영혼의 쌍둥이처럼 포개진 두 사람이었다고.

상대의 작품과 예술, 삶을 온전히 이해할 수 있는 타자가 있을까. 그건 서로의 환상이지 않았을까. 회의론자인 나는 그렇게 우왕좌왕하며 그 둘의 관계를 떠올려 본다.

*

오늘 할머니가 돌아가셨다. 그게 마리 로랑생과 무슨 연관이 있겠느냐만, 할머니는 오랜 시간 투병 생활을 했기 때문에 나는 할머니의 죽음과 삶에 대해 생각할 시간이 많았고 '여성으로서의 일생'에 대해 곱씹게 되었다. 한 시기에 두 인물을 끊임없이 반추하다 보면 교묘히 그 둘이 섞이며 겹쳐지는 지점들도 있기 마련이다.

할머니는 전쟁을 겪고 타국에서 유년을 보낸, 그 시절 대학을 나온 여성이었다. 직업인으로서도 성공한 사람이었으며 3개 국어를 구사하고 늘 내가 평소에는 접하기 어려웠던 신기한 요리들을 차려주고 직접 쿠키를 굽곤 하셨다. 할머니는 결혼하면서 경력을 잃고 내조에 몰두하며 군인이었던 할아버지를 따라 타지를 떠돌며 살았다. 세 아이의 엄마로 종교에 매달리며 남편을 수발하고 아들의 아이들을 키워냈지만, 남편이 병들어 죽자 기력이 약해지고 정신을 놓게 된 할머니. 할머니는 끝까지 자신의 직업을 지켜내지 못했고 결혼 생활에서 벗어나지 못했지만, 여성으로 자아를 실현하기 어려웠던 시절에 교육을 받고 열정적으로 자신의 일을 했다는 것, 전쟁을 겪고 타지를 떠돌았다는 점에서 어쩌면 나보다 할머니가 마리 로랑생을 더 잘 이해할지 모른다는 생각이 들었다.

그녀는 왜 루브르 박물관의 모나리자 도난 사건에 연루된 연인을 두고 떠났을까. 정말로 그를 믿지 못해서였을까. 가십의 한가운데 있는 것이 무거워서였을까. 왜 도망치듯 독일 남작과 결혼했을까. 무엇이 그녀로 하여금 더 이상 사랑을 사랑 안에 있을 수 없게 만들었을까. 알 수 없다.

1차 세계대전 중 그녀는 기욤 아폴리네르에게서 두 통의 전보를 받는다. 하나는 당신만이 내 유일한 사랑이며 운명이었다는 것. 다른 하나는 그가 전쟁 중 사망했다는 것. 이 두 통의 전보를 함께 읽어 내려가던 그녀의 두 눈은 어떤 표정이었을까. 그녀의 마음은 얼마나 깊고 차가운 물속에 잠겨 있었을까. 왜 기욤 아폴리네르는 시 「미라보 다리」에서 슬픔 후에 기쁨이 온다고 썼을까, 기쁨 후에 슬픔이 오는 대신. 시를 읽을 때마다 나는 그 순서가 이상하다고 생각했다. 그건 사랑보다는 죽음을 정면으로 응시할 때 갖게 되는 태도가 아닐까.

손에 손잡고 얼굴 오래 바라보자
우리들의 팔로 엮은
다리 밑으로
끝없는 시선에 지친 물결이야 흐르건 말건○

*

이틀이 지났다. 오늘 할머니를 화장했다. 나는 계속 죽음 속에서 죽음을 생각하며 마리 로랑생에 대해 조금씩 써나갔다. 그녀의 삶과 예술을 말하는 데에 기욤 아폴리네르에 대한 이야기와 사랑 이야기를 너무 많이 쓴 건 아닐까. 마치 사랑이, 남성이 그녀의 중심인 양. 그렇

○ 기욤 아폴리네르, 「미라보 다리」, 『미라보 다리』, 송재영 옮김, 민음사, 1975, 19쪽.

게 그녀를 이야기하고 싶지는 않은데. 미라보 다리의 주인공으로, 아폴리네르의 연인으로, 비극적 사랑의 희생자로 표현하고 싶지 않은데. 끝까지 작업을 손에서 놓지 않고 평생 열정적으로 그림을 그리고 자신의 스타일을 구축해나간 그녀의 끈기와 분투에 대해 쓰고 싶다.

그녀에 대한 정보는 많지만 마리 로랑생 개인에 대한 온전한 정보는 부족하다. 그녀의 이야기는 늘 주변의 남성들, 피카소나 아폴리네르 등의 이야기에 종속되어 있다. 한국에서 출판된 자서전 제목도 "마리 로랑생, 사랑에 운명을 걸고"이다. 역사가 여성의 서사를 어떻게 다루는지 마리 로랑생의 정보를 찾아보며 다시 한번 생각하게 되었다. 어떤 것들이 기록으로 남고 어떤 것들이 배제되었는가. 그것을 판단하고 편집하는 눈은 누구의 것인가. 나는 그녀의 작업과 그림에 대해 좀 더 이야기하고 싶다. 그러나 그녀 작품의 윤곽선들은 왜 금방이라도 흩어질 것처럼 뿌옇게 처리되고 있는지 색감은 왜 그토록 분홍이며 푸른빛이 감도는 투명함을 가진 파스텔 톤인지 왜 계속해서 여성과 새를, 꽃을 그렸는지 같은 이야기들은 찾기 어렵다. 단지 고통을 끌어안은 색채의 황홀이라는 말 외에는. 그 말은 아무 방향도 없는 말, 구체적이지 않은 말이며 추측에 불과하다. 물론 내가 프랑스어를 할 수 있었다면 더 많은 정보에 다가갈 수 있었을 테지만.

장 콕토는 마리 로랑생을 "야수파와 입체파 사이의 덫에 걸린 불쌍한 암사슴"이라고 했고 로댕은 "야수파의 소녀"라고 불렀으며 앙리 루소가 기욤 아폴리네르와 그녀를 그린 그림의 제목은 "시인에게 영감을 주는 뮤즈"였다. 암사슴, 소녀, 뮤즈. 그 말들은 어디를 가리키고 있는가. 그들은 마리 로랑생을 대등한 동료로 바라보고 있었는가. 아니면 '그림도 그리는' 아폴리네르의 연인으로 보았는가.

나는 그녀가 남성들에 의해 희생된 불행한 '여류' 화가가 아닌 자신의 작업을 묵묵히 해나간 멋진 여성으로 남아야 한다고 생각한다. 그녀의 작업에 대해 더 많이 써야 한다.

2017년 예술의전당에서 열린 〈색채의 황홀 마리 로랑생 展〉에는 연대순으로 그녀의 작품과 생애가 전시되어 있었다. 청춘시대, 열애시대, 망명시대, 열광의 시대. '열광의 시대'가 단연 좋았다. 이혼 후 프랑스로 돌아와 온전히 작업에 몰입할 수 있었던 시간들 속에서 그려진 작품들이었다. 그중 특히 눈길을 끌었던 것은 〈자화상〉(1905 추정)과 〈코코 샤넬의 초상〉(1923), 한쪽 뺨에 가만히 입술을 대고 서로의 팔을 엮고 있는 〈키스〉(1927), 분홍과 회색의 대비가 뚜렷하게 드러났던, 화폭을 뚫고 나온 듯한 파랑새가 손에 앉아 있던 〈여자-말〉(1918), 초록 속에서 따로 그리고 함께 있는 세 명의 여신을 그린 〈삼미신三美神〉(1921)이었다.

어린 시절의 어려움, 동갑이라는 점 등을 이유로 샤넬과 마리 로랑생은 금세 친구가 되었다고 한다. 그러나 의뢰한 초상의 완성작을 본 샤넬의 태도는 차가웠다. 자신을 지나치게 유약한 여성으로 표현했다는 게 그 이유다. 샤넬이 자신의 초상을 거절한 덕분에 그림은 미술관에 걸릴 수 있게 되었고 우리는 이제 그 그림을 본다. 샤넬은 왜 그토록 자신의 초상을 마음에 들어 하지 않은 것일까. 어쩌면 마리 로랑생의 그림 속에서 가장 부정하고 싶었던 자신을 마주하게 된 것은 아닐까.

초록으로 가득한 언덕에서 〈삼미신〉의 세 여자는 같은 사람처럼 보이기도 하고 전혀 다른 시공간에 있는 것처럼도 보인다. 파란 드레스를 입고 머리를 틀어 올린 여자와 그 머리 위를 맴도는 하얀 새, 벌거벗은 채 긴 가지처럼 보이는 무엇을 치켜들고 검은 머리를 풀어 헤친 여자, 말 위에 앉아 그림 밖을 응시하는 분홍빛으로 물든 슬픈 얼굴의 여자. 이 미의 세 여신the three graces은 수많은 조각으로 남아 있으며 루벤스, 라파엘로, 프란체스코 푸리니 등의 화가 등이 반복해서 그려온 이미지다. 이들의 그림과 마리 로랑생의 그림을 비교해본다면 그녀가 얼마나 다른 시각을 가졌는지 쉽게 알 수 있을 것이다. 이전의 화가들의 그림에서 이 세 여신은 정숙, 청순, 사랑을 상징하며 육감적 나신으로 표현된다. 커다란 엉덩이와 가슴, 여성의 몸은 화가의 눈을 통해 대상화되고 있다. 마리 로랑생 그림에서 여성은 나신이

더라도 어떠한 에로틱한 느낌도 자아내지 않는다. 그리스 로마 신화에서 이 세 여신은 자비의 순환을 상징한다고 한다. 마리 로랑생이 표현하고자 했던 그 아름다움은, 자비는 과연 무엇이었을까. 기존의 가치로 볼 수 없던 여성의 아름다움이 아니었을까. 파란 하늘, 하얀 구름, 우거진 수목, 들판에 핀 한 무더기의 꽃. 가만한 이 모든 것들이, 그토록 평이하고 평화로운 이 모든 것들이. 미의 바깥에서, 아무런 상징 없이 새로운 상징을 획득하게 되는 그런 순간이 있다고.

짐작할 수 없는 긴 시간 동안 온갖 고난을 겪은 한 여성이 이토록 평화로운 그림을 그릴 수 있다는 것. 그것은 내가 목도할 수 있는 가장 경이로운 신비와 힘이며 순수를 마주하는 기쁨이었다.

마리 로랑생

Marie Laurencin(1883~1956)

○

○

1883년 파리에서 태어나 대부분의 삶을 파리에서 살았다. 혼외 자녀로 태어나 어머니의 손에 길러졌으나, 부유한 아버지의 원조로 부유층 자녀들과 함께 교육을 받았다. 세브르 자기 제작소에서 도자기를, 파리시립학교에서 데생을, 윙베르 아카데미에서 고전적인 화법을 배우며 화가로 성장했다.

젊은 파리 예술가들의 작업실을 드나들며 피카소, 브라크, 장 콕토 등과 교류했다. 야수파와 입체파가 융성하는 흐름 속에 있었으나 그 일부가 되지 않고 자신만의 작품 세계를 발전시켰다.

1912년 31세에 파리에서 첫 개인전을 가졌다. 1914년 독일 귀족인 오토 폰 베트엔과 결혼했으나 1차 세계대전의 발발로 스페인 각지를 떠돌았고, 결혼 생활도 파경을 맞았다. 전쟁이 끝난 후 1921년 프랑스 국적을 회복하고 파리로 돌아왔으며, 평화의 활기 속에서 특유의 작풍을 완성시켰다.

감미로운 담색조로 유연하게 그려낸 몽환적 분위기의 여성 인물화로 유명하다. 헬레나 루빈스타인, 낸시 쿠나드 등 당대 사교계 여성들의 초상화를 그렸다. 무대 장식, 복식 디자인 등 다방면에서 활동했다.

1956년 73세로 사망했으며, 유언에 따라 흰 옷에 붉은 장미를 든 모습으로, 아폴리네르의 편지들을 안은 채 파리 페르라셰즈 묘지에 안장됐다.

단
하나의 것

한 사람을 이미지가 아닌 인간으로 바라본다는 건 어떤 것일까. 그것이 가능하기는 한가.

나탈리 포트만은 영화 〈재키〉(2016) 촬영 후 인터뷰에서 말한다. 그동안 한 번도 인간성을 갖고 재클린 케네디를 생각해본 적이 없다고. 하나의 이미지로만 대해왔다고. 이번 영화를 통해 그녀를 다시 생각해보게 되었다고.

나탈리 포트만은 열두 살, 〈레옹〉(1994)으로 데뷔했다. 열두 살 때부터 하나의 이미지가 되었다. 그녀를 둘러싼 수많은 눈 속에는 나탈리 포트만보다 앞서 마틸다가 있었을지도 모른다.

대부분의 여성 예술가들은 예술성 외 여성이라는 굴레와 일생을 걸쳐 치열하게 싸운다. 다른 남자 예술가들이 곧바로 온전히 자신만의 창작행위로 뛰어드는 것과 달리 여성 예술가들은 자신의 행위가 어떻게 비춰질지, 자신의 작품이 어떻게 받아들여질지를 사전에 끊임없이 검열한다. 그것을 생각하지 않고 창작을 하기로 결정하더라도 그러한 선택이 먼저 이루어졌다는 점에서, 여성의 창작은 항상 더 복잡한 과정을 통해 다른 세계로 '건너갈' 수밖에 없는 불가피한 과정을 수반한다고 해도 과언은 아닐 것이다.

나탈리 포트만의 경우는 어땠을까. 어린 나이부터 대중에게 노출되어 끝없이 성적으로 대상화되는 것을 견디는 일은. 나탈리 포트만은 그것을 '테러리즘'이라고 표현했다. 성적인 테러리즘을 겪어왔다고. 강간판타지가 가득한 편지를 받고, 그녀의 열여덟 살 생일을 라디오에서 카운트다운 당하며 '이제 우리는 나탈리 포트만과 합법적으로 섹스를 할 수 있다'는 선포를 듣는 일은. 그녀는 〈레옹〉 촬영 후 끝없는 성추행에 노출되었고 그 후에 한동안 키스신이나 베드신이 없는 영화만을 선택해 촬영해왔다고 한다. 그것은 분명 사전 검열이다. 자신이 대상화되는 것을 막기 위한 최대한의 수동적 방어다. 여성을 대상화하는 시선을 문제 삼는 것이 아니라 자신이 대상화될 소지를 줄이는 것, 이것은 비단 예술가가 아니라도 모든 여성들이 살면서 끝없이 겪어온 문제가 아닌가.

나는 등단 후 '여류 시인'으로 분류되었다. 신인상 시상식 뒤풀이 술자리에서 내 시는 전통적인 여성성을 갖고 있어 새롭지 않다고, 처음 본 선배 시인이 내게 말했다. 그 말이 칭찬이 아니라는 걸 알았다. 그 후 나는 시에서 여성성이라 일컬어질 수 있는 것들을 탈각시키기 위해 부단히 노력하기도 했다. 내 시는 왜 시의 계보 대신, '여류 시인'의 계보 안에서 해석되어야 하는가? 이는 내가 창작 이전에 스스로를 검열하기 시작했다는 뜻이다. 나는 내 시가 비좁게 해석되는 것이 싫었다. 여성으로서의 목소리를 지우고 무성의 목소리가 갖고 싶었다. 그건 자발적 욕망인가. 아니면 내 시를 위한 수동적 방어였는가. 오로지 나만의 고민은 아닐 것이다.

작년 할리우드를 뒤흔들었던 하비 와인스타인 사건과 미투 운동 때 나탈리 포트만은 선두에 서서 말을 아끼지 않았다. 제75회 골든 글로브 시상식 때 검은 옷을 입고 타임즈업Time's Up 배지를 단 배우들 속에서, 감독상 시상자로 론 하워드와 같이 무대에 선 나탈리 포트만은 론 하워드가 "최고의 감독상을 받으실 후보를 소개하게 되어 영광입니다"라는 멘트를 하자 "남자 후보들 중에서요"라고 말한다. '기예르모 델 토로, 크리스토퍼 놀란, 매틴 맥도나, 리들리 스콧, 스티븐 스필버그'가 최종 후보였다. 모두 남자였다. 그해 좋은 영화를 선보였던 그레타 거윅이나 디 리스의 이름은 없었다. 할리우드 영화신의 위계와 남성 위주의 권위에 일침을 가한 것이다. 단지 한마디 말을 던진 것뿐이라고 생각하는 사람들도 있겠지만, 부산국제영화제에서 전도연이나 김혜수가 그런 말을 했다면 얼마나 큰 파장을 가져왔을까.

이것이 비단 할리우드만의 문제일까? 영화계만의 문제일까? 나는 그렇지 않다고 생각한다. 이것은 전 세계의 문제이며 영화판뿐 아니라 문단 내의 문제이기도 하다. 문단에서는 누가 목소리를 내고 있는지 생각해본다. 우리는 충분히 이야기하고 있는지, 아니면 조용히 엎드려서 이 어둠이 내 곁을 그저 스쳐가기만을 기다리고 있는지. 나도 떳떳하지 못하다는 걸 때로 입을 틀어막고 그저 울기만 할 뿐이라는 걸 고백하고 싶다. 고소를 당할까 봐, 더 이상 시를 발표할 수 없게 될까 봐, 내가 당사자가 아니기 때문에 입을 다무는 것이 현명한 일이라고 여겨서, 혹은 너무 무서워서.

나탈리 포트만은 2015년 〈사랑과 어둠의 이야기〉로

감독 데뷔를 한다. 아모스 오즈의 소설을 원작으로 한 영화, 이스라엘과 유대인에 관한 영화를 만들었고 직접 주연했다. 그녀는 이스라엘에서 태어나 세 살 때 미국으로 이주했다. 아마 우리 나이로는 다섯 살이었을 거다. 다섯 살에는 세계를 알고 자아가 형성된다. 어린 나이였지만 그녀는 자신이 유대인이라는 것을, 스스로의 고향을 평생 잊지 않고 복기하며 살아왔을 것이다. 그녀는 시오니스트라는 루머에도 시달려왔다. 때문에 그녀가 처음 연출하기로 선택한 것이 〈사랑과 어둠의 이야기〉라는 것은 큰 의미를 갖고 있는 것 같다. 자신의 뿌리, 개인의 신념, 인간의 근원과 악, 민족과 민족 사이의 분열과 갈등을 모두 내포하는 이야기이기 때문이다. 그녀는 이스라엘과 그 밖의 모든 '인간'에게 하나의 질문을 던지고 싶었던 것이 아닐까? 무엇이 옳은지에 대해.

돌 하나를 놓고 조금씩 방향을 틀어보면 그것은 시시때때로 얼마나 다르고 얼마나 여러 각을 가졌는가.

영화 속 시인이 되고 싶다고 말하던 그네 위의 아랍 소녀와, 소설가 아버지를 둔 조용한 나, 때때로 알 수 없는 곳으로 사라져버리곤 하던 어머니 사이의 간극들은, 그 개개인 안에서 조용히 흔들리던 불꽃은 무엇이었을까?

그녀는 2018년 4월 유대인들의 노벨상이라고 불리는 제네시스상의 수상을 거부했다. 자신의 뿌리를 인식하는 유대인으로, 타국의 유명 배우로서 어쩌면 누군가에게는 유대인들의 대표 중 하나로 여겨졌을 그녀가 수상을 거부하는 데에는 큰 고민이 따랐을 것이다. 그녀가 수상을 거부하자 여론이 들끓었고 결국 그녀는 자신의 SNS를 통해 직접 입을 열었다.

"제네시스상 시상식 참석하지 않기로 한 내 결정이 잘못 해석되고 있어 직접 그 이유를 밝히고자 한다. 시상식에서 연설하기로 돼 있는 네타냐후 총리를 지지하는 것처럼 보이기 싫어 불참을 결정했다. 전 세계의 다른 이스라엘인이나 유대인과 마찬가지로 나도 이스라엘의 지도력을 비판할 수 있다. 이스라엘은 정확히 70년 전 홀로코스트 난민들의 피난처로서 세워졌다. 그러나 오늘날 잔혹 행위로 고통받는 이들에 대한 학대는 나의 유대인 가치와 맞지 않는다. 나는 이스라엘에 관심이 있으므로 폭력과 부패, 불평등, 권력 남용에 저항해야 한다."

이것이 그녀의 말이다. 그녀는 저항해야 한다고 말하고 그것을 실행에 옮겼다. 그녀는 자신이 무엇을 하는지 알고 그것을 하는 사람만이 가질 수 있는 태도를 가졌다. 그것이 나를 압도한다.

이 글을 쓰기 위해 14년 만에 다시 〈레옹〉을 보았다. 레옹이 마틸다를 탈출시키기 전 마지막으로 했던 말을 들으며 울었다.

> 네 덕에 삶이 뭔지 알게 됐어. 나도 행복해지고 싶어. 잠도 자고, 뿌리도 내릴 거야. 절대 네가 다시 혼자가 되는 일은 없을 거야.

〈브이 포 벤데타〉(2005)도 보았다. 〈블랙 스완〉(2010)도. 〈서던리치〉(2018)도. 며칠 동안 계속 나탈리 포트만만 찾아보았다. 그녀의 필름과 기사와 사진들. 한 사람의 얼굴을 이토록 오래 많이 보는 일은 참 이상하다. 너무나 낯설고도 한편 낯익은 기시감이 눈 속에서 어른거렸다. 그러다 보니 내 안에서 영화들이 전부 뒤섞이고 뒤섞여서 꼭 하나의 커다란 영화가 되기도 했다. 단 하나의 것. 절대 망가지거나 부서지지 않는 그 무엇, 사랑이거나 신념이거나 모든 것이 다 끝났다고 생각될 때 완벽한 절망 속에서도 사람을 일으켜 세우는 단 하나의 절대성. 우리는 그것을 끝없이 찾아 헤매는 것이 아닐까.

물론 사후적인 이야기이지만 그녀의 영화들에 늘 그런 절대성이 있었다고 나는 생각했다.

*

나는 내가 가장 먼저 쓰고자 했던 김혜순 시인에 대해 쓰지 못했다. 최승자 시인, 허수경 시인에 대해서도. 카미유 클로델, 최옥경, 사라 폴리, 패티 스미스, 메릴 스트립, 케이트 모스, 비욘세, 케이트 블란쳇, 크리스틴 스튜어트, 비비안 웨스트우드에 대해서도 쓰지 못했다. 그 외 더 많은 사람들을 나는 생각했고, 쓰지 못했다. 그 이유는 지나치게 많은 정보 혹은 지나치게 적은 정보가 나를 겁나게 하기도 했고 잘 쓰지 못할 것 같아서, 예술 세계를 훼손할까 봐, 두려웠기 때문이다.

내가 나에 대해 쓸 때,
내가 다른 사람에 대해 쓸 때,

이 두 가지에 수반되는 무게와 책임은 전혀 다른 일이라는 것을 전에는 몰랐다. 시를 쓰고 산문을 쓰면서 늘 내 얘기만 늘어놓았기 때문이다. 이제 나는 그 일이

쉽지 않은 것임을 통감한다. 때로 나는 지나치게 이입하고 함부로 재단했으며 내 생각을 다른 예술가의 생각에 비스듬히 겹쳐 놓으며 섣부른 이해를 통해 자위했다.

나는 사실 지금도 아무것도 모르겠다. 〈레옹〉의 마틸다를, 〈클로저〉의 앨리스를, 〈브이 포 벤데타〉의 이비를, 〈블랙 스완〉의 니나를, 〈서던 리치〉의 리나를. SNL에서 거침없는 랩을 내뱉으며 나를 놀라게 한 나탈리 포트만을. (수위가 너무 높아서 차마 글로 옮길 수 없는 말들이지만 그런 그녀의 되바라진 면은 또한 얼마나 큰 매력으로 다가왔는지!)

현실적으로 살 필요가 없다고 무모하게 도전하라고 그렇지 않았다면 자신은 결코 지금의 자신이 아니었을 거라고, 하버드에서 졸업 축사를 하던 나탈리 포트만을.

*

누군가를 깊이 이해해보려는 시도는 얼마나 값지고 허무한 것인가? 나는 나탈리 포트만을 얼마나 이해하고 있나. 나는 유대인인 그녀를, 어린 나이에 유명세를 치른 그녀를, 배우로서의 그녀를, 어머니인 그녀를, 나는 완벽했어,라고 말하던 〈블랙 스완〉의 니나를. 얼마나 알고 가깝게 느꼈을까? 그 모든 이미지들 속에서 나는 나탈리 포트만이라는 인간을 과연 얼마나 발견하였을까.

나탈리 포트만

Natalie Portman(1981~)

○

○

1981년 이스라엘 예루살렘에서 태어났다. 의사와 예술가인 동유럽계 유대인 부모와 함께 세 살 때 미국으로 건너가 자랐다. 본명은 네타리 헤르슐라그Neta-Lee Hershlag로, 1994년 뤽 베송 감독의 영화 〈레옹*Leon*〉으로 데뷔했다. 1990년대에 〈뷰티풀 걸*Beautiful Girls*〉과 〈여기보다 어딘가에*Anywhere But Here*〉에서 주연을 맡았으며, 〈스타 워즈〉

프리퀼 3부작(1999, 2002, 2005)에서 파드메 아미달라 역을 연기했다. 1999년 하버드 대학교에 입학하여 심리학을 전공했다.

2001년에 안톤 체호프 원작의 연극 〈갈매기*The Seagall*〉에 출연해 브로드웨이에서 공연을 펼치기도 했다. 2005년에는 영화 〈클로저 *Closer*〉로 아카데미 여우조연상 후보로 지명되었으며, 골든 글로브 여우조연상을 수상했다. 2011년에는 영화 〈블랙 스완〉으로 영국 아카데미 영화상, 미국 아카데미상, 전미 영화 비평가 협회상, 미국 배우 조합상 등에서 여우주연상을 수상하였다. 2016년 이스라엘의 역사를 다룬 아모스 오즈의 동명의 소설을 영화화한 〈사랑과 어둠의 이야기 *A Tale of Love and Darkness*〉의 감독, 각본, 주연을 맡았다.

제 눈은 빛나요,
아직

선생님, 저는 선생님처럼 못 해요. 기도하고 사랑하고 온 마음을 기울여 시를 기다리고 듣는 일을. 저는 너무 무서워요. 제가 그만큼 강한 마음을 가지지 못했다는 것을, 제가 끝끝내 주저앉고 말 것을, 선생님이 아시는 게. 시를 미워하고 시의 멱살을 쥐고 흔드는 제 두 손이 무서워요.

선생님의 시집은 매번 다르고 매번 새롭고 더 좋아요. 그게 경이로워요. 그렇게 하기 위해 시를 밀고 밀고 또 밀면서 온몸이 부르트도록 견디셨을 시간이, 때로 감히 짐작이 돼요. 늘 속으로 다짐해요. 선생님처럼 되어야지 그렇게 열심히 시를 사랑하고 미안해하고 기다리고 나의 최대치를 갱신해야지. 그런데 그런 일을 그토록 긴 시간 동안 해오셨다는 생각을 하면 어찌나 아득하고 멀고 두려운지요. 얼마나 캄캄한지요. 저도 그걸 견뎌야 하는데 그러기가 싫을 때가 많아요. 자꾸 도망치고 싶어서 울어요. 시가 너무 무섭고 언제까지나 제일 무서울 것을 알아서요.

누구나 그렇듯이 비명 지르고 싶은 시간들이 내게도 있지만 바로 그 순간 비명을 몸 안으로 넣고 밖으로 꺼내지 않으면 비명이 삶을 일으켜 세워 준다는 것도, 비명이 내 날개가 된다는 것도 알게 되었다. 그래, 나는 이제 삶이 그리 비장하지 않은 것임을 안다. 시가 내게 그것을 가르쳐 주었다.○

○ 이원, 「시를 쓰면 비명도 날개가 된다」, 『최소의 발견』, 민음사, 2017, 35쪽.

대학에 입학해 처음 선생님 수업을 들었을 때 제게 항상 사차원 소녀라고 하셨잖아요. 저는 사실 엄청나게 진지한 아이였는데, 사차원이 되고 싶었어요. 그렇게 보이고 싶고 여겨지고 싶어서 이상한 행동들을 일부러 하는 중2병이었어요. 다른 건 하나도 모르겠는데 시를 쓰고 싶고 어떻게 해야 다른 좋은 시인들처럼 아름다운 시를 쓸 수 있는지, 시의 근원이 뭔지 비밀이 뭔지 그것만 내내 몰두하고 생각하는, 그런 따분한 아이였어요. 그런 저를 선생님께서 사차원 소녀라고 불러주셔서 얼마나 기뻤는지 몰라요. 동경하던 것에 조금 가까워진 것 같았어요. 그래서 매일 더 열심히 쓰고 선생님께 보여드리고 싶어서 두근거리며 밤을 새우곤 했어요. 내 시도 조금은 시에 가까울까, 내가, 시를, 쓸 수 있을까, 하고요.

저는 너무 많이 말하고 침묵을 견디지 못하고 하지 말아야 할 일과 해야 할 일을 구분하지 못하고, 그래서 선생님께 걱정을 끼쳐드린다는 것을 알아요. 조금만 말하고 가만히 있고 더 들어야 하는데. 잘못된 사랑에 빠지지 말았어야 했는데. 가끔 브레이크가 고장 난 것처럼 제가 기울어져요. 쏟아져요. 울지 말아야 할 곳에서 울음을 터뜨리고, 내밀하게 간직해야 할 것들을 함부로 말해버려요. 어쩌면 저는 혼자 하는 시소 놀이처럼 불완전한 자리에 배정된 것 같다는 생각이 자꾸만 들어요. 이제 저도 엄마고 어른이니 어른답게 차분해지면 좋을 텐데, 다른 좋은 사람들처럼요. 희연 언니와 미옥 언니를 보면 그런 생각을 많이 해요. 나는 왜 이 모양인가, 하고요. 그렇게 저희 셋을 묶어주신 선생님의 마음에 감사하면서도 저는 '나 빼고 다 좋은 사람'이라는 생각에 기쁘고 괴로워요. 저도 도움이 되고 위로가 될 수 있을까요. 모두에게.

선생님, 저는 그래도 선생님 덕분에 무언가를 골똘히 관찰할 수 있는 끈질긴 힘을 갖게 되었어요. 대상을 볼 때 이제 충분하다고 생각이 들 때, 그때부터가 시작이라는 것을 알게 되었어요. 그 너머와 그 너머까지 열릴 수 있게 더 오래오래 보고 아끼고 사랑하고 말 걸고 끝없이 대답을 기다리는 시간을 견디는 법을 배웠어요. 그러다 보면 시는 의도치 않은 방향으로 흘러가기도 하고 갑자기 약동할 때도 있죠. 그런 것들을 아주아주 침묵에 가까운 시선으로 관찰하는 것, 탐조가들이 풀숲에 엎드려 숨을 죽이는 것처럼. 그러다 보면 내가 그것이고 그것이 내가 되고 세상의 모든 아픔과 기쁨이 연동되는 순간들도 와요. 그 찰나의 명멸이 저를 살려요.

저는 매일 거울을 들여다보며 제 눈빛이 아직 괜찮은지를 점검하곤 해요. 선생님께서 '눈빛 관리'를 해야 한다고 말씀해주셨을 때부터. 외적인 아름다움이 아니라 내 내면의 빛이 살아 있는지 깨끗한지 내가 가진 빛이 혼탁해지지는 않았는지 스스로 생각하고 점검할 수 있는 그런 시간. 아직은 괜찮은 것 같아요. 간신히, 아직은요. 제 눈이 빛나요. 어린아이처럼. 그게 좋고 기쁘고 그래도 조금은 괜찮다고, 제 눈이 저에게 말해요. 고마워요.

오늘도 낙타의 눈알을 닦아주셨어요? 오늘도 저녁

일찍 잠드셔서 내일 동틀 때 일어나실 거죠? 사랑을, 죽음을, 우리가 가진 아픔과 상처를 쉽게 발화하지 않을 수 있게 선생님께서 늘 제 안에서 저를 붙잡아주신다는 걸 아세요?

선생님의 새 시집이 출간되고 낭독회가 열렸을 때, 모두 귀 기울여 침묵 속에서 각자 하나의 불을 마주할 때, 저는 뜨겁고 환하고 또 어두워서 마음이 다 허물어지고 말았어요. 술렁이면서 그렇게 고요해지는 순간이 시의 환희와 같다고 생각했어요. 거기에 있어서 벅찼어요.

신이여 아이들을 버리소서
세상이 이미 아이들을 버렸습니다
못 박힐 순결한 손이 필요 없나이다○

내밀한 공동체의 거대한 침묵이 만드는 울림. 선생

○ 이원, 「검은 모래」, 『사랑은 탄생하라』, 문학과지성사, 2017, 43쪽. 읽을 때마다 이 시는 나를 울려요.

님이 제 선생님이라서 좋아요. 선생님도 제가 선생님의 제자여서 좋으셨으면.

매일매일의 한 줄이 쌓여 한 글자 한 글자가 모여 시가 된다는 것을 이제 알아요.

선생님의 시상식에 다녀온 날, 저는 그날 꽃을 살까 망설이다가 그만두었어요. 축하의 자리에는 꽃이 어울리지만 선생님께는 꽃이 어울리지 않는다고 생각했어요. 꽃의 끔찍함을, 우리는 아니까. 선생님께서 제게 써주신 엽서는 늘 제 책장 가장 앞에 있어요. '음악으로 걸어온 시를 알아봐주신 상이어서, 시선들이어서 더 반갑고 기쁘다.' 그 비스듬한 글씨가 갈고리처럼 가끔 저를 할퀴어요. 어떤 날은 위로받고 어떤 날은 말도 안 돼. 내 시는 음악으로 걸어오지 않았어. 내 시는, 나로 걸어왔어. 그런 토라진 아이 같은 마음.

선생님. 진심은 무엇으로도 수식하기 힘들어서 결국 쓸쓸하게 날것의 말만 남아요. 그게 부끄럽고 때로 좋아요.

선생님께서 제게 주신 빛을 저도 언젠가 돌려드릴 수 있을까요.

선생님께서 주신 어둠을.

이원

○

○

경기도 화성에서 태어나 서울에서 자랐다.

서울예술대학교 문예창작과, 동국대 문예대학원 문예창작학과를 졸업했다. 1992년 《세계의 문학》 가을호에 「시간과 비닐봉지」 외 3편으로 등단했다. 현대 문명의 비인간화된 풍경, 그곳에서의 삶과 실존적 방식을 실험적인 언어와 낯선 이미지들을 통해 날카롭게 그려

내며 한국 전위시의 계보를 이어오고 있다. 일순간 사라져버릴 수도 있는 세계 속에서 '순간'에 존재하려고 노력하며 스스로를 '순간주의자'라고 믿는다.

서울예술대학교에서 시와 글쓰기 수업을 하고 있다.

시집으로 『그들이 지구를 지배했을 때』(1996), 『야후!의 강물에 천 개의 달이 뜬다』(2001), 『세상에서 가장 가벼운 오토바이』(2007), 『불가능한 종이의 역사』(2012), 『사랑은 탄생하라』(2017)가 있으며, 산문집으로 『산책 안에 담은 것들』(2016), 『최소의 발견』(2017)이 있다.

현대시학작품상, 현대시작품상, 시작작품상, 시로여는세상작품상, 형평문학상, 시인동네문학상을 수상했다.

환상통

이영주

×

실비아 플라스

제인 캠피언

마돈나

수전 손택

이연주

"우리는 모두 이 무화과나무처럼

각자의 슬픔에서 자란다."

무화과나무처럼

실비아 플라스를 처음 접한 것은 이십 대 초반, 시에 푹 빠져 있는 친구를 통해서였다. 나는 그 친구와 매일 붙어 다녔고, 몇 년간 모든 계절을 함께 통과했다. 친구는 밤마다 그녀의 죽음에 대해 이야기했다. 오븐에 머리를 넣고 자살했대. 여덟 살에 처음으로 정식 지면에 시를 발표했대. 스미스 대학교에 장학생으로 입학했대. 영국의 계관시인 테드 휴스와 결혼해서 아이를 둘이나 낳았대. 그런데 오븐에 머리를 넣고 자살했대. 그리고…… 오븐에 머리를 넣고……. 그쯤 되면 우리는 거나

하게 취한 상태에서 그녀의 시를 읽었다.

> 아마도 당신은 스스로를 신탁,
> 죽은 사람들이나 어떤 신들의 대변자로 생각하겠죠.
> 삼십여 년 동안 나는 당신의 목구멍에서
> 진흙 찌꺼기를 긁어내려고 부단히 노력했어요.
> 나는 조금도 더 현명해지지 못했죠.○

정확하진 않지만 '아마도 당신은 스스로를 죽음의 신탁에 맡긴 거겠죠' 같은 구절들로 대체해 암송했고, 우리는 빛나는 재능과 너무 비극적이어서 더 빛나는 그녀의 죽음의 재능(죽음에도 재능이 있다면)을 찬양했다. 그때 우리는 여성 예술가들의 깨진 유리 같은 빛살이 소름 끼치게 스며들어 있는 삶을 동경했다. 그래야만 우리의 뜨겁고 어렵고 황폐한 젊음을 이겨나갈 수 있다

○ 실비아 플라스, 「거대한 조각상」, 『실비아 플라스 시 전집』, 박주영 옮김, 마음산책, 2013, 267쪽. 당시 읽었던 시집 『거상』(청하출판사)은 분실되었다.

고 믿었다.

나는 『실비아 플라스의 일기』(문예출판사, 2004)가 간행되자마자 단행본을 세 권 정도 합쳐놓은 두께의 일기를 홀로 밤마다 한두 페이지씩 읽었다. 두렵고 설렜고 아팠다. 특별히 비극적인 언어들로만 이루어진 책은 아니었는데도. 나의 두려움은 무엇이었을까. 이 빛나는 여성이 외부에서 휘두르는 거대한 해머에 와장창 깨져버릴까 봐, 그것이 내 삶을 송두리째 흔들까 봐 두려웠던 것일까. 그래서 설렜던 것일까. 몇 년간 계절의 바람 속에서 그녀의 시들을 낭독했던 그 친구는 지금 무엇을 할까.

그때 친구는 자꾸만 '오븐에 머리를 넣고……'라는 말을 반복했었다. 나는 그 말을 중얼거리며 따라 했고. 그러나 그것은 사실이 아니었다. 일종의 신화였다. 비극적인 죽음에 대한 동경. 우리가 만들어낸 삶의 저 너머. 아니, 가진 것 없는 우리의 비루한 삶을 빛나게 만들어줄 우리만의 신화.

그녀가 1층 부엌에서 가스를 틀고 죽음을 불러들인

것은 맞지만, 아이들의 아침 식사까지 준비하여 방에 놓아주고, 아이들에게 해를 끼칠까 봐 가스가 새어나가지 않도록 부엌의 문틈을 꼼꼼하게 봉하였다. 죽기 위해 여러 행동들을 한다고 해서 진짜 죽음의 세계로 진입하는 일을 망설이지 않는 사람은 없다. 나는 영화 〈실비아〉(2003)를 보면서 생각했다. 혹시 그녀가 이번만큼은 죽지 않기를 바라지 않았을까. 이번만큼은 누군가에게 발견되어 다시 삶의 구덩이 안으로 돌아오고 싶었던 것이 아닐까. 그녀는 마지막에 무엇을 생각했을까. 나는 그녀가 끝까지 우리 모두를 불태워버릴, 단 한 편의 시를 쓰고 싶어 했을지 모른다는 생각이 들었다.

그녀는 여덟 살 때부터 시를 발표했고, 장학생으로 스미스 대학교에 들어갔으며 무엇보다 문학적 명성을 갈망했다. 대중적으로 사랑받는다는 것이 문학적 명성과 동일시되지는 않는다. 문학적 야망이란 조금 더 깊이 인간의 바닥을, 밝혀지지 않고 비밀로 묻혀 있는 황폐하고 아름다운 바닥을 언어로 끄집어내려는 일에 가까우니까. 그러나 우리는 무엇이 묻혀 있는지 알 수 없는 바닥 그 자체는 알고 싶어 하지 않는다. 어쩌면, 인간은 그런 것들을 캐내려는 욕망과 동시에 그런 것들을 묻어버리고 망각의 늪으로 들어가려는 이중적인 면을 가지고 있는지도 모른다.

그녀 또한 그런 이중성 안에서 자신의 삶이 가져다준 팍팍함을 유연하게 풀어가고 싶어 했다. 테드 휴스와의 관계도 회복하려고 애썼고, 아이들에게도 사랑을 주었으며, 무엇보다 자신과의 화해를 시도했다. 부부 사이의 갈등, 특히 시인 부부 사이의 갈등이라니. 그 진실을 알기 힘들다. 오로지 자신들만이 알 수 있다. 하지만 그녀는 별거 상태에서 여성이라는 이유로 육아를 도맡고 현실의 삶을 이끌어가야만 했다. 어떤 이들은 말하겠지. 당시에 양육은 여성의 일이었다고. 누군가의 일,이란 것이 정해져 있다면 남성이든 여성이든 모두 불행하다. 가족은 무엇이든 함께하고 도모해야 하는 소명이 있다.

그러나 그녀를 더 힘들게 했던 것은 다른 지점이었을 것이다. 무엇보다 시인으로서 다양한 작품에 대한 제대로 된 평가와 조명을 받기 바랐다는 것. 그것은 그녀의 호구조사 결과 같은 정보들과는 상관이 없다. 그녀의 작품은 소외된 자들만이 예리하게 벼려내는 날카로운 언어 감각과 독특한 상상력, 새로운 시도로 풍성하기 이를 데 없다.

시란 소외된 자의 시선으로 전형적인 세계에 질문을 던지고 질문에 이은 또 다른 질문으로 세계의 진실에 한 발짝 다가서는 일이다. 그러므로 여성이 써내는 언어들은 편안하고 익숙한 방식만으로 되지 않는다. 당시에는 물론이고, 현재에도 여성은 변두리에 서 있기 때문이다. 중심으로부터 이탈하는, 변두리의 광장으로 나아가고 있기 때문이다.

그녀는 그 삶을 치열하게 밀고 나갔다.

나는 몸을 굽혀 물 빠진 세면대를 바라보았다
작은 물고기는 진흙이 얼어붙은 것처럼 수축되어 있다.

그들은 눈처럼 반짝거렸다, 나는 모두 한데 모았다.
오래된 통나무와 오래된 이미지의 영안실, 호수는
호수에 비친 상을 받아들인 채, 수문을 열고 닫는다.○

삶의 치열함. 그녀는 내게 그것이다. 그래서 두렵고 아팠다.

어느 날 우연히 그녀가 쓴 산문을 읽었다. 자신의 인생이 이야기 속에서 초록빛 무화과나무처럼 눈앞의 가지를 쳐가고 있는 것을 보았다고. 수많은 살찐 무화과가 찬란한 미래처럼 손짓했다고. 하지만 행복한 가정과 유명한 시인과 뛰어난 교수, 능력 있는 편집자 등이 매달린 그 많은 무화과 중 단 하나도 결정할 수 없었다고. 그렇게 무화과가 말라 죽어가는 것을 지켜보았다고. 내내 그것을 보았다고. 그렇게 썩어서 자신의 발치로 떨어지는 것을 그저 보았다고.

나는 무화과나무 아래에 앉아 있다. 나는 삶의 치열

○ 「사유지」, 같은 책, 270쪽.

함 위에 앉아 있다. 나는 조금 울고 있다. 우리는 모두이 무화과나무처럼 각자의 슬픔에서 자란다. 썩어서 떨어지는 무화과 하나를 먹는다. 그렇게 그녀와 나는 깊은 비밀 속으로 들어간다. 이십 대에 만난 그녀도, 문학밖에 모르던 친구도, 숨겨둔 시를 꺼내어 세상 밖으로 내보내던 그 시절의 나도 한 알 한 알 땅에 떨어져 묻히고 있다. 잘 썩고 있다.

'내 책상 위의 천사'에게

제인 캠피언이 아니었으면 만들어내지 못할 세계. 제인 캠피언 자신의 시선이 만들어낸 아름답고 쓸쓸한 세계. 여성 감독이 만들어내는 예민하고 설레는 여성의 세계. 쓴다는 것, 그것은 쓸 것이 있는 자들이 만들어가는 유토피아 같은 것이다. 쓴다는 것, 그것은 결핍과 소외를 예민하게 인식하는 자들, 중심보다 주변에 있는 자들, 세속적 가치를 소유하는 것보다 비우는 것에 소질이 있는 자들, 여성적인 자들의 세계이다. 제인 캠피언은 이것을 너무 잘 알았다. 여성이 여성의 이야기를 할 때 어떻게 아름다워지는지를.

나는 제인 캠피언이 만든 영화 〈내 책상 위의 천사〉(1990)를 볼 때마다 주인공 재닛에 대한 애정이 무한히 솟아오른다. 나는 이 영화를 열 번 이상 보았다. 많은 사람들에 둘러싸여 있다가 혼자서 집으로 돌아오고 나면 나는 이상한 쓸쓸함에 젖어 이 영화를 찾았다. 사람들과 있기를 좋아하고, 혼자 남겨지기를 두려워했으면서도 나는 열렬하게 혼자이기를 바랐다. 화통한 포즈를 취하고 대범한 척했지만 매번 그 자리를 떠나고 싶었다. 이 모순적인 감정은 뭘까.

이 영화를 볼 때마다 그 시절의 나를 겹쳐 생각한다면 너무 과거 파먹기인 걸까. 주인공인 재닛은 붉은 데다 아주 심한 곱슬머리였고, 오남매의 둘째였다. 간질을 앓는 남자 형제 한 명과 언니 한 명, 여동생 둘. 형제가 없는 나와는 상황이 완전히 달랐지만 재닛이 느끼는 쓸쓸함을 나는 어쩐지 알 것만 같았다.

많은 식구들 사이에서 보살핌을 받지 못하고 스스로

를 돌봐야 했던 아이. 하지만 그 많은 자매들과 부대끼며 사랑을 나누는 행운도 있었던 아이. (부러웠다.) 너무 소심했던 아이. 학교에서 받은 억압과 금기, 놀림으로 위축되었던 아이. 친구들에게 사랑받기 위해 아버지 주머니에서 동전을 훔쳐 추잉껌을 나누어주다가 도둑으로 몰린 아이. 그렇게 친구들과 멀어진 아이.

그런 상황에서 가정 학대에 시달리던 친구가 내민 책 한 권. 상처받은 자는 상처받은 자를 쉽게 알아본다. 언니의 섹스 사건을 함께 목격한 이유로 그 친구와는 더 이상 만날 수 없게 되었지만 그때 읽은 그 책 한 권은 재닛의 모든 것을 바꾼다. 내가 책을 만났던 그 순간들처럼.

나는 특별히 왕따를 당하거나 소외받던 아이는 아니었다. 짝꿍이 있었고, 앞뒤로 앉아 함께 재잘대는 친구들이 있었다. 다만 그럴 때 나는 조용히 듣는 쪽이었다. 말이 없는 편이었고, 어깨가 살짝 굽었으며, 큰 소리로 웃어본 적이 별로 없는 아이였다. (지금의 나를 보면 누가 이 말을 믿을까!) 내가 나서서 나의 존재를 증명한 적은 없던 것 같다. 다만 그때의 우리 엄마는 학교에 자주 드나들었고, 음식을 유난히 잘하는 학부형이어서 카스테라 같은 것을 구워 반 친구들에게 나눠 주곤 했었다. 그것 때문에 아이들은 나를 알았지만, 그것 때문에 나의 내성적인 성격은 오만함으로 비추어지는 오해를 불러일으키기도 했다.

그때 나는 아파트 같은 동 아랫집에 사는 중학생 언니의 영향으로 책 읽는 것을 유일한 낙으로 삼았다. 나는 형제자매가 없고, 동네 친구들과 어울리기 위해 어떻게 해야 하는지 잘 모르는 아이였다. 엄마는 가끔 중학생 언니와 나랑 동갑인 아이가 있는 아랫집에 나를 맡기곤 했는데, 그 집에는 눈이 휘둥그레질 정도로 책이 많았다. 동갑내기 친구와 장난감을 가지고 노는 것은 시시했지만 책 속에 고개를 파묻고 자신만의 침묵 속으로 빠져드는 중학생 언니의 모습이 멋져 보이기만 했다.

나는 동갑내기 친구와 놀다가도 쪼르르 달려가 언니

옆에 찰싹 붙어 언니를 하염없이 바라보았다. 그때마다 언니는 내게 동화책을 읽어주었다. 『헨젤과 그레텔』이나 『그림형제 동화집』 같은 것들. 전형적인 동심을 파괴하고 인간 마음의 밑바닥을 우회적으로 표현하는 하드코어 동화의 세계로 나는 정신없이 빠져들었다. 어느 날부터 우리 집에는 전집류의 책들이 쌓이기 시작했고 아빠는 책을 사들이는 데 아낌없이 투자했다. 내가 큰 인물이 될 줄 아셨겠지만 사실 나는 공상에 빠져 허우적거리는 아이였을 뿐이다.

그즈음부터 나는 혼자 있기를 즐겼다. 엄마가 외출하고 없을 때에도 나는 별 불만이 없었다. 나는 동네 친구들과 고무줄 놀이나 정글짐 놀이를 게을리하지는 않았지만 실은 그 놀이를 하면서도 집에 들어가서 읽을 책들에 대한 생각으로 꽉 차 있었다. 그러니 고무줄 놀이 실력이 늘 리가 있나! 집중해서 온몸을 활처럼 휘어야 하는데, 나는 대충 허공에 헛발질 좀 하다가 탈락하곤 했다. 그렇게 늘 고무줄을 잡는 역할을 했다. 그나마도 '쿠사리' 먹기 일쑤였지만.

재닛은 복잡하고 고통스러운 유년기를 보내게 된다. 아이가 감당하기 힘든 여러 사건들은 재닛을 더욱 예민하고 소심하며 내성적인 사람으로 만들었다. 생각해보면 이러한 부분들이 오히려 그녀를 문학의 세계로 이끈 동력이 되지 않았을까.

성에 대해 눈뜨면서 성장기를 맞이할 때 그토록 사랑하던 언니가 죽고 마지막을 함께하지 못한 죄책감(언니가 놀러 가자고 꼬시는데 공부한다고 따라가지 않았던 것 때문일까)으로, 에로스와 타나토스가 섞인 슬픈 성장기를 통과해버린 소녀. 성에 대한 억압◦에 죽음의 그림자가 겹치는 이 부분은 성인이 된 재닛에게 근원적인 억압으로 작동하는 듯하다. 재닛은 점점 더 예민해지고, 점점 더 내성적이 되어갔다. 그녀는 어릴 때부터 썩어가던 이빨을 내내 방치했고(이것은 아무래도 부모의 몫이 아니었을까) 남자들이 나타나면 뒷걸음질 쳤다.

◦ 재닛은 언니의 섹스를 우연히 목격한 후, 그것을 말했다가 언니가 혼나는 것을 보게 된다.

오로지 문학 선생님만이 자신의 재능을 알아봐주었다. 자신을 알아봐준다는 것, 자신을 호명해준다는 것, 그 힘은 재닛을 작가로 이끈 어마어마한 것이었지만, 몽상과 현실의 경계를 왔다 갔다 하며 대학 시절을 고군분투하던 그녀에게 일종의 배신감을 안겨준다. 남자였던 문학 선생은 그녀의 상태를 비정상으로 본 것이다. 예민하고 내성적이며, 사회성이 결여되어 있고, 인간관계에 능숙하지 못한 사람. 몽상을 통해 행복을 느끼는 사람. 그들은 모두 세상의 질서에서 이탈한 자들이다. 더군다나 그것은 시작에 불과했다. 엄마와 함께 여행 간 여동생이 익사하는 불행은 결국 재닛을 더욱 깊은 슬픔의 구렁 안으로 밀어 넣었다.

재닛의 이 모든 고통은 글쓰기를 통해 세상 밖으로 뻗어나갔다. 재닛은 정신병원을 들락날락하는 과정 속에서도 작품을 썼다. 그리고 그것은 출판이 되어 사람들에게 읽혔다. 한여름 휴가의 상대로만 즐기고 떠난 남자 시인과의 사랑은 재닛을 더욱 바닥으로 밀어 넣었다. 그녀의 상태는 더욱 나빠졌지만 작품은 문학상을 수상하는 쾌거를 이룬다. 재닛은 밑바닥에서 아파했지만 결국 자신의 작품 때문에 그것에서 빠져나온다. 이것은 문학의 승리인가? 재닛의 승리인가.

이것은 아무것도 아니다. 사회가 내성적이고 예민한, 이탈한 자들을 처벌하는 과정일지도 모른다. 외부의 편견에 의해 삶이 슬퍼지는 이 과정이 문학으로 보상받을 수 있을까? 그러나 그 모독의 과정을 견디고 세상 밖으로 자신의 언어를 당당하게 펼쳐 보이는 그녀에게 나는 감동한다. 사회의 처벌을 쓰레기로 만들어버리는 그 눈부신 아름다움을. 나중에 '정신분열증'이 오진임이 밝혀지면서 그녀는 더더욱 큰 해방감을 맛본다.

나는 활발한 삶을 살기 위해 재닛보다 더 고군분투했다. 내성적이어서 놀리기 좋은 대상이었던 한 시절을 기억하며, 그것을 극복하기 위해 나는 성격을 바꾸었다. 바뀐 것이 맞나? 어쨌든 나는 매우 에너지 넘치고 사람들 사이에서 즐거우려고 노력하며 분위기를 띄우는 광대 노릇에 한동안 침윤되어 있었다. 사람들을 웃기고, 사람들을 즐겁게 하면서 나는 내 이빨이 썩어가는 환상통 속에 있었을지도 모른다. 그러고 나는 집에 와서 숨죽여 울었다. 나의 광대 짓에 스스로를 벌했다가 스스로를 용서했다가 그렇게 스스로를 지옥 속에 빠뜨리기 일쑤였다. 사람들과 어울리는 방법을 잘 몰라서였는지도 모른다. 그래서 과잉되어 있었는지도 모른다. 매일 밤 치욕이 만든 썩은 이빨들을 뽑아내는 기분.

그러나 〈내 책상 위의 천사〉는 그 이면에 숨겨져 있는 세계들을 펼쳐 보일 수 있게 만들었다. 재닛은 어디에서든 글을 썼다. 식구들이 득시글거리는 가난한 유년의 식탁에서, 뉴질랜드 시골의 언덕에서, 쓰러져가는 빈민 아파트의 책상에서, 한여름 휴가의 방 안 이국적인 창 밑 책상에서, 심지어 정신병원의 벽에 대고도 썼다. 그녀는 그렇게 '내 책상 위의 천사'가 되었다. 나는 세계지도가 붙어 있는 거실 소파에서도 쓰고, 앞이 꽉 막혀 있는 내 방 책상에서도 쓰며, 통 넓은 유리창이 가득한 카페에서도 쓴다. 그리고 인도의 어느 작은 마을 손전등 밑에서도, 터키 넴루트다으 유적에 걸터앉아서도 쓸 수 있게 되었다. 쓴다는 것, 이것은 이탈한 자들이 내는 깊고 아름다운 소리다.

제인 캠피언은 도발적인 시선으로 만들어낸 독특한 데뷔작 〈스위티〉(1989)부터 세기의 명작 중 하나인 〈피아노〉(1993) 등의 여러 영화들을 제작했다. 지금도 새로운 작업들을 준비하고 있을 것이다. 그러나 나는 변함없이 출시된 그녀의 작품 중 이 영화를 제일 사랑한다. 재닛이 통통했던 어린 시절에 입었던 흰 카라와 복고풍 꽃무늬 원피스도 좋고, 놀림거리였던 붉은 폭탄머리도 좋고, 성인이 되어서 입은 녹색 카디건과 검정 치마, 딱딱한 청록색 사각 가방도 좋다. 재닛의 썩은 이도 좋고, 꿈꾸는 눈동자도 좋다. 무엇보다 늘상 끼고 다니던 두꺼운 문고들이 제일 좋다. 그 책들은 몸의 일부처럼 그녀 가까이 있을 때 가장 빛난다. 뉴질랜드의 아름다운 풍경과 유럽의 소박한 골목들도 좋다. 무엇보다 섬세한 여성의 시선, 소외된 자가 이룩해내는 그 자신만의 세계가 좋다.

제인 캠피언

Jane Campion(1954~)

○

○

1954년 뉴질랜드 웰링턴에서 연출가와 연극배우 부모 사이에서 태어났다. 인류학을 전공한 후 런던으로 건너가 미술 공부를 시작했고, 시드니로 옮겨 시드니 예술대학교에서 회화를 전공하며 영화에 관심을 가졌다. 1981년 영화 학교에 입학한 첫해에 만든 〈껍질*Peel*〉이 칸 영화제 단편영화 부문 대상을 받으며 데뷔했다.

1989년 한 소녀의 시선으로 부조리한 가족 관계와 시대상을 그려낸 첫 장편영화 〈스위티*Sweetie*〉를 발표했다. 이듬해 뉴질랜드 소설가 재닛 프레임의 자전적 소설을 영화화한 〈내 책상 위의 천사*An Angel at My Table*〉가 베네치아 영화제에서 그랑프리를 비롯해 7개 부문을 수상하며 주목을 받았다. 그리고 1993년 세 번째 장편영화 〈피아노*The Piano*〉가 각종 국제영화제에서 30여 개의 상을 휩쓸며 세계적인 영화감독으로 부상했다. 제66회 아카데미상 각본상을 수상했으며, 여성으로서 최초이자 현재까지 유일하게 제46회 칸 국제영화제 황금종려상을 수상했다. 그 후 〈여인의 초상*The Portrait of a Lady*〉(1996), 〈인 더 컷*In the Cut*〉(2003), 〈브라이트 스타*Bright Star*〉(2009) 등 일곱 편의 장편영화와 다수의 단편영화, 다큐멘터리를 만들었다. 2013년 TV 시리즈 〈톱 오브 더 레이크*Top of the Lake*〉의 각본과 연출을 맡았다.

캠피언 작품의 일관된 주제는 여성의 정체성과 자유, 욕망의 대한 것이다. 특유의 회화적 이미지와 감각적이고 탁월한 연출력이 돋보이는 작품을 선보이는 한편, 여성적 관점을 인정하지 않는 영화계를 향해 비판을 던지기도 했다. 〈피아노〉의 디렉터였던 호주인 콜린 잉글러트와 1992년 결혼 후 2001년에 이혼했다. 딸 앨리스 잉글러트는 배우로 활동하고 있다.

지금도 진행형

2018년, 마돈나는 만 60세가 되었다.

그녀는 환갑이 된 자신의 생일 파티를 모로코의 고대 도시였던 마라케시에서 보냈다고 한다. 그녀는 60세가 되는 얼마 전까지도 뿔이 긴 가면을 쓰고 섹시한 춤을 추는 남성들 무리를 호령하는 성숙한 여신 같은 이미지를 무대에서 선보였다. 그 무대에 대한 수많은 댓글이 달렸다. 찬사를 보내는 댓글도 있지만 "할머니"라는 댓글도 있다. 마돈나의 행보를 비난하는 댓글이지만 그 댓글을 보고 나는 문득 흥미로운 생각이 들었다.

여성의 성적 정체성과 자기 결정권은 나이가 들수록 더욱 성숙한 모습으로 깊어질 수 있다는 것. 마돈나의 지금 나이는 그야말로 소비 대상에서 밀려난 나이가 아닌가. 성적 대상화는 어리고 젊은 여성들에게 행하는 성적 착취로 극심해진다. 어떤 면에서 나이 든 여자의 공격적인 성적 퍼포먼스는 불편할 수 있겠지. 나이 든 여성들이 육체적 측면에서 여성이길 포기해야 모두의 마음이 편하겠지. 그러나 나이와 관계없이 성적 표현은 자유로울 권리가 있지 않은가. 마돈나는 그것을 잘 알고 있다.

마돈나는 성녀와 요부를 동시에 구현하고(그러나 남성에게 종속적인 방식이 아닌 오히려 조롱하는 방식으로) 동성애 감수성을 끌어들이면서 수전 손택이 말했던 '캠프'의 화신이 되었다.○ 하위문화로 분류되었던 감각들을 전면에 내세우고 자신의 의도에 맞게 재구성해서 우리에게 펼쳐 보인다. 또한 그것에서 멈추지 않고 결혼

○ 조르주-클로드 길베르, 『포스트모던 신화 마돈나』, 김승욱 옮김, 들녘, 2004 참조.

과 이혼, 출산, 양육 등의 제도적 사건들 앞에서 언제나 얼굴을 바꾸었다.

「라이크 어 버진Like a Virgin」(1984)은 어떤가. 이 노래는 지금까지 애창되는 명곡이다. 마돈나의 목소리가 가장 빛을 발하는 노래. 이 노래는 '처녀'라는 개념을 해체시킨다. 타인들이 규정해준 처녀라는 개념이 아니라 여성이 자신의 성을 자기 의지에 의해 자유롭게 다루는 것. 자신이 진정으로 원하는 사랑을 만나는 순간, 그것이야말로 처음인 것이다. 모든 처음은 순서와 관계없다. 그저 여성이 진실한 사랑에 빠지는 순간이다. 그것이 바로 새로운 처녀의 개념은 아닐까,라는 메시지를 전하는 팝스타. 이렇듯 마돈나는 논쟁적인 인물이다.

1990년대에 나는 이십 대 초중반을 보냈다. 그때의 내게 그녀는 감수성의 심벌이었다. 투명하면서도 야생적인 목소리, 기존의 관습과 범위를 뛰어넘는 패션, 파격적인 무대 연출, 무엇보다 금기를 부수고 새로운 힘을 만들어내는 뮤직비디오의 쇼킹함……. 이것은 당시

21세기라는 새로운 시대를 앞둔 우리의 우울한 절망감, 이상한 희열과 만나서 더욱 신화화되었다.

그때 우리는 곳곳에서 도사리고 있던 세기말적 징후와 함께 뒹굴었고, 그것이 주는 축축한 정서 속에 푹 빠져 있었다. 이 세기가 끝나고 새로운 세기가 온다고? 지금까지 숫자에 불과했던 시간의 얼굴 앞에서 우리는 당황했다. 중심과 주변의 경계가 조금씩 무너지고, 핵심이라고 믿었던 질서들이 흔들리기 시작했다.

1980년대에는 사회적 약자들의 소중한 권리를 위해 많은 사람들이 싸웠다. 1990년대에도 그 흐름은 이어졌지만 한쪽에서는 새로운 움직임이 있었다. 약자의 목소리가 좀 더 다양한 방식으로 터져 나오게 된 것이다. 엄격한 진지함과는 다른, 새로운 방식의 저항들. 집단과 사회의 목소리만큼 개인의 목소리도 중요해졌다. 절망도 저항의 일종이었다. 관념에 묻혀 있던 감각이 표현의 중요한 통로가 되었다. 관습은 위태로워졌다. 새로운 세기가 다가오고 있다. 이 세기는 끝나가고 있다. 이러한 강박은 새로운 방식들을 이끌어냈다. 일종의 유머

였을까. 중심이 흔들리고 주변이 변화하는 모습은 흥미로운 것들을 끊임없이 불러냈다. 매혹적인 것들. 매혹적이어서 더욱 억압되어 있던 것들. 마돈나는 그러한 시기에 다가왔다. 마돈나는 1980년대에 미국에서 선풍적인 인기를 끌었지만 내게 다가온 것은 1990년대의 정서 안에서였다.

이십 대를 떠올리면, 혼란과 갈등 속에 빠져 있던 순간들이 먼저 떠오른다. 더군다나 여성이라는 이름이 규정에 종속된 이름이었던 십 대를 넘어서서 새로운 정체성 앞에서 방황하던 시기. 수동적으로 정의된 여성성을 받아들이는 것이 당연하게 여겨지던 십 대 시절을 극복하고 싶었던 열망. 그리고 무엇을 어떻게 변화시켜야 하는지 몰라 혼란에 빠졌던 시기.

그때 나는 친구의 집에서 마돈나의 뮤직비디오를 처음 접하고서 충격에 빠졌다. 친구는 당시에 나름 첨단이었던 MTV 문화를 파고들던, 감각적인 것들을 찬양하는 유형이었다. 그녀는 거침이 없었다. 거리에서 구호를 외칠 때조차 미니스커트를 입었고, 그것으로 모두에게 비난을 받았지만 그마저도 신경 쓰지 않던 대범한 친구였다. 나는 그녀와 함께 어려운 책들을 읽었고, 밤에는 뮤직비디오를 보며 맥주를 마셨다. 그녀는 입버릇처럼 말했다. 변화하는 시대에는 새로운 감각으로 나아가야 한다고. 그렇게 나는 혼란의 틈바구니에서 마돈나의 뮤직비디오를 보았다.

전형적인 여성성을 파괴하고 불편하게 만드는 파격적인 비주얼. 저항과 자유를 향한 방식이 성적인 퍼포먼스로 표출된다는 것. 내게는 아마도 그것이 주는 충격이 너무 컸을지도 모르겠다. 물론 하위문화에서 영향 받았을 법한 패션과 이미지 또한 놀라웠다. 마돈나가 만들어낸 이미지는 매혹적이었다. 감각적이고 신선했다. 부풀린 파마머리와 커다란 이어링, 섹시한 초크, 해진 데님, 형형색색의 스타킹, 레이스 장갑…… 그리고 어느 순간 흰 면사포를 쓰거나 수녀복을 입고 기존의 행보를 뒤엎어버리는 긴장감. 다른 것을 차치하고 패션만큼은 따라 하고 싶은 마음을 불러일으킬 정도였으니까. 친구는 검은 레이스 장갑을 끼고 짧은 데님 반

바지를 입고 마르크스를 읽었다. 평소 복장이기도 했지만 그런 그녀가 유물론 책을 읽을 때면 나는 이상한 해방감을 느끼곤 했다. 이십 대여서 가능한 허세였을지언정, 나는 그녀가 좋았다. 그러나 나 자신은 그렇게 하지 못했다. 사람들의 시선이 두려웠고 용기가 없었다.

패션만이 문제가 아니었다. 그녀의 노골적인 성적 대상화는 여성의 성적 수동성이 내면화되어 있던 내게 불편하고 부담스러웠다. (물론 성적 대상화가 성적 적극성이라는 말은 아니다.) 마돈나는 '성을 대상화하고 그것을 이용하여 자본주의의 성공 신화를 이끌어낸' 인물로 여겨진다. 때문에 불편한 지점이 있는 것도 사실이다. 자신의 육체를 대상화하다니. 그뿐 아니라 적극적으로 이용하다니. 미국 사회의 천박한 자본주의가 그대로 노출되는 것은 아닌가. 물론 우아한 자본주의라는 것은 없을지도 모른다. 그것을 적극적으로 이용하여 일종의 신화로 발돋움하려는 것은 정당한가. 나는 그런 질문들 속에서 놓여나지 못했다. 그리고 어쩌면 아직까지도 그 문제에 대해 고민하고 있는지도 모른다. 그러나 분명한 것은, 육체를 대상화하고 그것을 다시 해체하면서 기존의 문화적 권위를 조롱하는 힘이 그녀에게는 있다. 그리고 그 힘이 다양한 방식의 새로운 문화적 조류를 불러온 것만큼은 분명하다.

수많은 가면을 바꿔 쓰면서, 한 지점에 머무르지 않고 끊임없이 새로운 지점을 향해 가는 에너지. 마돈나는 그러한 에너지의 상징이다. 그녀는 남성들뿐만 아니라 여성들에게도 열렬한 찬사를 받지만 그만큼 모두의 적이 되기도 한다. 하지만 그것을 두려워하지 않는다. 그녀는 자신을 향해 쏟아지는 모든 불협화음을 자신의 것으로 만든다. 그리고 견뎌낸다. 그녀를 둘러싼 성적 소비와 여성의 대상화는 스스로가 자처한 것이기도 하다. 그 진통들을 끌어안고 그녀는 나아간다. 물론 이러한 문제에 대한 논의는 지금뿐만 아니라 앞으로도 여러 방향에서 예민하게 이야기되어야 한다.

그녀는 자신이 만들어놓은 기존의 것들을 해체하고

새로운 방식을 고민하고 스스로까지 해체하려는 에너지를 가진 인물이다. 자신의 의지에 의해서. 마돈나는 기획사에 소속된 단순한 연예인이 아니다. 자신이 직접 앨범을 프로듀싱하고, 뮤직비디오나 영화 등을 기획, 제작한다. 성공 여부를 떠나서 이 작업들이 여전히 활발하게 이루어지고 있는 것만 봐도 그렇다. 자신에 대한 전략을 스스로 세우고 무너뜨리는, 능동적인 여성. 마돈나는 내게 말한다. 이봐, 유머 감각을 좀 길러봐. 억압된 것을 해방시켜봐. 현대 사회의 신화는, 진창에서 피어오르는 거야. 그리고 어쩌면 초라하게 사라질지도 모르지.

"제 안의 이중성을 발견하고 그것을 드러내는 것, 이탈자로서의 모습과 낭만적인 모습이요. 그리고 좋은 노래를 만들고 들려주는 것 외에는 중요하지 않아요."

"사물의 복잡성 따위는 관심 없는 사람들, 그들에게는 사물의 흑과 백만이 존재해요. 아이러니나 유머는 자리 잡을 틈이 없죠. 그저 표면적인 가치에만 집중해요. 저는 그 부분이 이해가 되지 않습니다."

"모든 것이 브랜드화하고 안전하게 구현되는 것에 치중해가고, 친근하게 접근하고 타인을 공격하지 않는 것만이 중요하게 되었죠. 개인적으로 그런 것에 절대 편해질 수 없을 겁니다."

"저항가란 활발하게 투쟁하는 사람을 일컫는데 주어진 관습에 의문을 갖거나 새로운 사고를 하거나 그러다 궁극적으로 저항가가 되는 거죠."

"아티스트로서 온전히 제 모습을 보여주는 것밖에 생각하지 않습니다."○

○ 마돈나, 〈Rebel Heart Tour〉 인터뷰 중에서.

마돈나

Madonna(1958~)

○

○

1958년 미시간의 가톨릭 가정에서 여섯 형제 중 셋째로 태어났다. 본명은 마돈나 루이즈 베로니카 치코네Madonna Louise Veronica Ciccone 이다. 여섯 살 때 유방암으로 세상을 떠난 어머니에게서 같은 이름을 물려받았다. 어릴 때부터 춤에 소질을 보여 치어리더로 활동했고, 미

시간 대학교 무용과에 진학했으나 중퇴하고 가수가 되기 위해 뉴욕으로 갔다. 길로이 형제와 함께 '블랙퍼스트 클럽'이라는 밴드를 만들어 드러머로 활동했다.

1983년 시어 레코드사와의 계약으로 첫 번째 정규 음반 『마돈나 *Madonna*』를 발표했다. 디스코 장르가 주를 이룬 곡들로, 수록곡 「홀리데이*Holiday*」와 「럭키 스타*Lucky Star*」로 주목을 받기 시작했다. 이듬해 발표한 두 번째 앨범 『라이크 어 버진*Like a Virgin*』으로 전 세계 음악 차트 정상을 차지하며 센세이션을 일으켰다. 파격적이고 도발적인 가사와 패션, 뮤직비디오, 퍼포먼스를 선보여 충격과 논란의 중심에 섰다. 이후 「아빠 설교하지 마세요*Papa Don't Preach*」(1986), 「라이크 어 프레이어*Like A Prayer*」(1989), 「보그*Vogue*」(1990), 「헝업*Hung Up*」(2005) 등 수많은 히트곡을 발표하며 팝의 여왕이라는 수식어를 얻었다.

그래미상을 8회 수상했고, 3억 장이 넘는 음반 판매 기록으로 최다 앨범 판매 여성 아티스트로 기네스북에 등재되었다. 2008년 빌보드가 선정한 역대 아티스트 100위에서 비틀스에 이어 2위를 차지했으며, 같은 해 로큰롤 명예의 전당에도 이름을 올렸다. 아르헨티나의 영부인 에바 페론의 일대기를 담은 뮤지컬 영화 〈에비타*Evita*〉(1996)에 출연해 골든 글로브 여우주연상을 수상하기도 했다.

영화배우 숀 펜과 이혼 후 배우 카를로스 레온과 영화감독 가이 리치 사이에서 각각 자녀를 낳았고, 네 자녀를 입양했다.

나는 캠프인가

수전 손택을 떠올리면서 '캠프camp'[○]에 대한 여러 글을 동시에 떠올리게 되는 것은 왜일까. 캠프를 통해 더욱 빛나는 여성 비평가가 되었다고 생각하기 때문이 아닐까.

'캠프'라는 매혹적인 개념을 담은 수전 손택의 글 「'캠프'에 대한 단상」에는, 스타일을 강조하고 하위에 머물

○ 영어 사전에는 "케케묵거나 속된 것이 오히려 멋있다고 보기", "기상천외의 것이나 케케묵은 것 또는 속된 것의 좋은 점을 인정하기, 또는 그러한 태도, 행동, 예술 표현"이라고 나와 있다.

던 대중문화의 위상을 끌어올린 그녀의 도발적 감수성이 잘 드러나 있다.

캠프는 동성애자들의 속어가 개념화되는 과정에서 사용되기도 하였는데, 이 용어의 탄생이 하위문화 감수성에서 시작되었다는 점은 주목할 만하다. 소외된 것들이 중심으로 끌어올려지는 과정에서 탄생한 것이기 때문이다.

하위문화를 중심으로 끌어올린 비평가적 감성. 이것을 여성성의 연장으로 봐도 좋지 않을까. 소외된 것을 끌어안고 그것의 가능성을 발견하는 것. 여성성을 남성성과의 이분법으로 구분하는 것을 넘어서서 중심을 제외한 모든 것을 여성성의 범위라고 보았을 때, 그것이야말로 여성성의 너른 품이 아닐까.

내가 수전 손택의 명징하고 힘 있는 여러 글들을 보면서 매력을 느꼈던 부분도 여성성의 확장에 있었다고 봐도 좋을 것이다. 많은 비평가들이 절대성에 대한 고민으로 빠져들 때, B급으로 여겨져 제외되고 타자화되었던 것들에 눈을 돌린 그녀의 개방적인 태도 또한 나를 사로잡았다.

나는 생각해본다. 나는 캠프인가. 내 안에도 캠프가 있는가. 캠프는 단 한 가지가 아니며, 정확하게 정해져 있는 것도 아니다. 문화란 고급과 저급, 상위와 하위 등으로 명확하게 구분되는 것이 아니다. 또한 그러한 구분 자체가 위계를 부여하는 함정일 수도 있다. 누구에게나 문화적 감수성은 다양하고 복잡하게 얽혀 있다. 당연히 내게도 캠프의 삐딱한 요정들(?)이 곳곳에 스며들어 있으리라.

하위문화의 매혹과 독특한 감수성이 빛나게 되는 순간, 그 지점들은 캠프의 많은 부분과 닮아 있다. 캠프라는 개념은 인공적인 것, 비자연적인 것, 과도한 과장을 정면으로 불러내었으며, 진지한 것을 경박한 것으로 바꾸고 경박한 것을 진지한 것으로 바라보는 가능성을 제시했다. 또한 그것은 양성兩性: epicene 스타일의 승리를 의미하기도 하는데, 그에 대한 설명을 옮겨 놓으면 다음과 같다.

9. 사람에 대한 취향을 보자면, 특히 캠프는 눈에 띄게 수척하고, 엄청나게 과장된 사람들에게 반응을 나타낸다. 확실히, 양성성 소유자는 캠프적 감수성의 가장 중요한 이미지로 꼽힌다. 예컨대, 라파엘 전파의 회화와 시에 등장하는 졸도할 듯 가녀리고 나긋나긋한 인물, 전등과 재떨이에 양각陽角으로 표현된 아르누보 판화와 포스터의 마르고 미끈하게 몸이 빠진 중성적인 인체, 그레타 가르보의 완벽한 아름다움 뒤에 감춰진 저 잊히지 않는 양성적 백치미 등이 좋은 예다. 여기에서, 캠프 취향은 대개 승인되지 않은 취향의 진실, 즉 (가장 세련된 형태의 성적 쾌락과 마찬가지로) 가장 세련된 형태의 성적 매력은 당사자의 본래 성을 거스름으로써 만들어진다는 진실에 기초한다. 한창 때의 남성에게서 가장 매력적인 요소는 어딘가 여성적인 면이며, 여성미가 넘치는 여성에게서 가장 매력적인 요소는 어딘가 남성 같은 면이다. 양성성을 선호하는 캠프의 취향과 유사한 취향으로 성적 특징과 개인의 버릇을 과장하는 취

향이 있는데, 이 둘은 상당히 달라 보이지만 실은 그렇지 않다.○

이 부분은 고착화된 규정을 흔들어버리는 힘이 있다. 우리는 남성 혹은 여성으로 불리면서 얼마나 많은 관습의 노예가 되었던가. 생각해보면 나는 여성스럽지 못하다고 해서 비난받았고, 남성적인 기질이 드러난다고 해서 '기 센 여자'로 분류되기도 했다. 여성스럽다고 여겨지는 감각들을 취할 때는 평소의 나와는 다르다는 편견에 노출되기도 했다. 그러나 '여성스럽다, 남성스럽다'는 사회의 관습과 제도가 만들어낸 것들일 뿐이다. 물론 나 자신도 그러한 프레임에 갇혀 수많은 실수들을 범하기도 했다. 어떤 부분은 잘 몰라서 대충 넘어갔고 어떤 부분은 반성 없이 관습적으로 행동하기도 했다. 그리고 그 실수들이 아직도 남아 있을지도 모르겠다.

인간을 인간 자체로 대하는 일은 생각보다 어렵다.

○ 수전 손택, 「'캠프'에 대한 단상」, 『해석에 반대한다』, 이후, 2002, 415~416쪽.

우리는 남성과 여성을 떠나 인간 자체를 바라보는 시선을 내내 그리워했는지도 모른다. 수전 손택은 남성적인 것 안에 담긴 여성성을 발견하고, 여성적인 것 안에 담긴 남성성을 발견하면서 인간에 대한 시선을 확장시켰다. 나는 프레임에 갇혀 있었던 자신을 많이 반성하고, 인간 자체로 바라보려는 노력을 끊임없이 하는 중이다.

나는 수전 손택의 일기를 통해 그녀가 자신 안에 담긴 양성적 기질에 흔들리는 것을 보았다. 호감을 보이는 남학생과의 관계에서 갈등하고 그 결핍을 여학생과의 친밀한 관계로 채우면서 수전 손택은 자신 안에 양성적 기질이 있다는 것을 발견한다.

결혼을 하고 아이를 낳아 기른 그녀에게 양성적 기질이 농후했다는 사실은 신선한 충격이었다. 그러나 이것은 누군가를 사랑하는 방식뿐만 아니라 세계를 바라보는 시선일 것이다. 또한 이분법에 얽매인 전형성에서 탈주하는 힘으로 봐도 되지 않을까.

우리는 자신도 모르게 전형성에서 벗어나 있는 순간이 있다. 그리고 그것이 갑자기 우리의 삶을 묘하게 흔들고 있다는 것을 알게 된다. 어떤 대상이나 사물이 매혹적일 때, 그것은 이미 내가 알고 있는 것 때문이 아니다. 여성성 속에 숨겨진 남성적 면모, 남성성 속에 숨겨진 여성적 면모, 겉으로 규정된 어떤 속성 안에 숨겨진 새로운 면들……. 본질이 아닌 것으로 여겨졌던 지점이 본질의 일부분으로 기능하고 있는 것을 발견했을 때의 이끌림. 그러한 시선은 전형성을 해체하고 소외된 모든 타자들을 새로운 위치로 불러낼 수 있는 힘이다.

수전 손택은 여성이기에 규제받아온 것들에 저항하며 좀더 섬세하게 세계를 바라볼 수 있었을 것이다. 기득권을 가진 자들은 대체로 소외된 것을 바라보는 일에 무심하다. 소외된 자리에서 출발하는 자들은 기득권에 저항할 뿐만 아니라 자신의 저변을 감각적으로 캐치한다. 그것의 가능성을 누구보다 더 절실하게 깨닫는다.

캠프는 스타일을 중시하며 엄숙함을 폐지하는 것에 목적을 둔다. 놀기 좋아하며, 근엄한 것들에 저항한다. 또한 캠프는 진지하다. 어떤 진지함인가. 하찮은 것들이 진지해질 수 있다는 것을 보여주며, 경건한 것을 사소한 것으로 만들어버리는 힘이 있다. 대중문화가 고급문화의 억압에 눌려 하찮은 것으로 인식되었을 때 대중문화의 가능성과 힘을 발견해주는 시선은 여기에서 출발했으리라. 19세기에는 귀족문화의 대표격인 댄디가 멋쟁이의 표상이었다면 현대에는 캠프야말로 대중문화 시대의 멋쟁이라 불릴 수 있다. 예전에는 천박함과 촌스러움을 경멸했다. 그러나 캠프는 그 촌스러움을 사랑한다. 하위문화의 열정과 빛남을 존중한다. 우리 주변에 있는 수많은 복고풍을 보라. 그것은 이미 하나의 중심처럼 보인다. 그러나 그것이 오로지 중심이기만 하다면 캠프는 또 다시 소외된 것들에게로 시선을 돌릴 것이다.

수전 손택의 글은 쉽다. 명확하다. 시원하고 명징한 사유의 힘이 문장에 들어 있다. 그녀는 사유의 힘으로 우리를 단박에 사로잡는다. 복잡하고 여러 줄기로 얽혀 들어 있어야만 지식의 전형이라는 중심에서 그녀는 문장 자체로 이탈했다. 나는 그녀의 글을 읽을 때마다 시원한 소나기를 맞는 기분이다. 빗속에서 노는 기분이다. 캠프적이다.

수전 손택

Susan Sontag(1933~2004)

○

○

1933년 뉴욕에서 유대계 부모 아래 태어났다. 아버지는 폐결핵으로 일찍 세상을 떠났고 어머니의 재혼으로 손택이라는 성을 얻었다. 열다섯 살에 버클리 대학교에 입학한 후 시카고 대학교로 옮겨 문학, 철학, 신학을 공부했고, 스물다섯에 하버드 대학교에서 철학박사 학위를 받았다. 컬럼비아 대학교, 뉴욕 시립대학교 등에서 철학을 가르

치며 저술 활동을 했다.

1963년 첫 소설 『은인*The Benefactor*』을 출간했다. 1964년 「'캠프'에 대한 단상」이라는 글을 발표하며 문단과 학계의 주목을 받기 시작했고, 1966년 에세이 『해석에 반대한다*Against Interpretation*』를 펴냈다. 손택은 이 책에 수록된 글에서 전통적인 관념을 비판하며 하위문화와 고급문화의 구분, 예술에 대한 과도한 해석에 반기를 들어 전 세계 문화계를 집중시켰다. 이후로도 소설과 에세이, 희곡, 시나리오를 썼으며, 32개 언어로 번역 출판되었다. 미국 펜클럽 회장을 역임했으며, 영화와 연극을 연출하는 등 다양한 영역에 걸쳐 재능을 보였다. '뉴욕 지성계의 여왕', '대중문화의 퍼스트레이디' 등 숱한 별명을 얻었다.

인권과 사회 문제에도 비판과 투쟁을 서슴지 않았다. 베트남 전쟁의 허위, 아메리칸드림의 실상을 폭로하고 9·11 테러에 대한 미국 정부의 태도를 날카롭게 비판하는 등 실천하는 지식인의 모습을 보여주었다. 서울을 방문해 구속 문인의 석방을 촉구하는가 하면, 내전 중인 사라예보에서 연극 〈고도를 기다리며*Waiting for Godot*〉를 공연하기도 했다. 전미도서비평가협회상 비평 부문, 전미도서상 소설 부문, 독일출판협회 평화상을 수상했다.

2004년 뉴욕에서 골수성 백혈병으로 사망했다.

사랑이 너무 많아서

선배님.

선배님이라고 불러도 될까요. 한 번도 만나 뵙지 못한 분을 선배님이라 부르고 싶어지는 것은 제 마음이 시킨 일. 마음으로 가 닿으려는 일. 마치 오래전부터 알고 있었던 인연처럼 다정한 관계가 되고 싶어 파동이 이는 일. 그래서 까마득한 후배인 제가 선배님이라고 부르는 것을 반가워하시리라 믿고 싶어요.

대학 시절 선배님 시를 처음 읽고 한동안 아팠던 기억이 납니다. 이 시들은 왜 이렇게 나를 붙잡고 흔드는

지, 왜 이렇게 내 심장에 작은 칼날이 박혀 있는 기분인지, 스스로도 이유를 알 수 없어 내내 힘들었습니다. 『매음녀가 있는 밤의 시장』(세계사, 1991), 『속죄양, 유다』(세계사, 1993)를 저는 대학 때 읽었습니다. 오래 절판되었다가 지금은 『이연주 시전집 1953-1992』(최측의농간, 2016)가 발간되었지요.

살아 계셨으면 아마도 전집은 나오지 않았을 테고, 더욱더 예민하고 슬픈 시들을 계속 우리에게 보여주셨을 텐데요. 그럼 저는 쓰이지 않은 그 시들을 접할 때마다 깊은 수렁에 빠져들고, 그 안에서 기나긴 슬픔의 휴식을 가지게 되었을까요. 쓰이지 않는 시들에 대한 상상은 이렇게나 매혹적이어서 모든 시인들이 시를 쓰고 또 쓰게 되는 것일까요. 선배님의 갑작스러운 죽음이 제게 던진 화두일지도 모르겠습니다. 죽은 시인의 언어는 어떻게 퍼지는가, 그 시인의 쓰이지 않는 영역은 어떻게 이어지는가. 독자들이 스스로 완성해가는 시, 쓰이지 않았지만 그래서 쓰일 수밖에 없는 슬픔의 언어들 말입니다…….

간호사였고, 시집을 두 권 내고서 다른 세상으로 가셨다는 것 말고 선배님에 대한 정보는 많지 않습니다. 두 번째 시집 『속죄양, 유다』는 죽음을 앞두고 정리해 나갔다는 소문들도 있었죠. 간호사로서 불법낙태가 행해지는 병원의 끔찍하고 참혹한 인간 말살 현장을 목격하고, 그것 때문에 얼마나 힘들어하셨는지 시집에 실린 시들만 봐도 충분히 짐작할 수 있습니다. 병원이라는 시스템과 제도가 인간을 살리기도 하지만 인간성을 말살시키기도 하는 아이러니를 유독 못 견뎌했다는 것까지.

신생아를 인위적으로 받아내거나 수술을 통해서 태어나는 순간을 결정하는 병원의 시스템은 한 존재의 시작과 끝을 점유하는 전지전능의 권력이라는 것. 자연의 질서가 부여하는 탄생이 아니라 근대 문명이 만들어낸 이러한 탄생은 "맨몸으로 기도문 한 구절 없이 버티는 용기와 저항의 힘"이 삶의 과정임을 역설한다는 것. "기도문이란 다만 죽은 자들을 위한 문장일 뿐이니까…… 나는 알코올솜으로 정성들여 손바닥을 문지른다. 제발 잊지 말아, 저 전깃불이 얼마나 큰 어둠을 감추고 있는지……"에서처럼 기도문이란 죽은 자들을 위한 문장이라는 인식(「신생아실 노트」). 현실의 폭력적 상황을 기도라는 희구의 과정이나 종교적 의지로는 극복할 수 없다고 보셨지요. 병원의 시스템에 의해 이제 막 태어난 아기에게 화자가 해줄 수 있는 말은 "전깃불이 얼마나 큰 어둠을 감추고 있는지……" 같은 절망적인 것임을. 이러한 병원의 냉혹한 현실은 화자에게 일종의 무기력과 분노, 죄의식을 부각시키는 현장이었습니다.

당신의 시들은 그런 삶의 부조리와 비극성을 고발하는 것에 머물지 않고 신과 인간, 죽음의 문제까지 확장하는 엄청난 에너지를 발산시키고 있습니다.

하지만 저는 이 모든 시들이 사랑으로 읽힙니다. 시에서 터져 나오는 비극적 에너지의 파장이 사랑의 문제임을 느낍니다. 저는 어쩐지 선배님의 시들을 사랑시로 읽게 되었습니다. 이상하게도요. 남녀 간의 사랑이기도 하지만 세계에 대한 사랑이기도 한, 그야말로 사랑의 영역에서 모든 문제를 끌어안고 극복하려 하는 여성 시인 특유의 강력한 힘을 느낍니다.

근원적으로 사랑을 품고 태어난 자들의 너른 품의 영역일까요. 사랑을 품은 자들은 부조리와 모순에 쉽게 타협하지 못합니다. 섣부른 희망을 들이대면서 다 좋아질 거라는 근거 없는 감상을 견디지 못합니다. 그리고 세상이 다 그런 거지, 하는 식의 냉소와 포기의 태도를 갖지 못합니다. 잘못된 것들에 분노하고 억압에 맞서고 타자의 고통에 깊이 공감하여 슬퍼하는, 그런 사람들이야말로 사랑이 가득 찬 사람들이 아닐까요. 그래서 사소하고 소소한 모순에도 염결성을 버리지 못하는, 연약하지만 강한 사람들이 아닐까요. 저는 선배님의 모든 시들을 그렇게 읽었습니다. 사랑이 가득한, 염결성으로 똘똘 뭉친 자의 고통!

한 사내가, 내 집 현관문 암호판 앞에 서 있다.
그 사내가, 나만이 알고 있는 암호의 숫자를 누른다.

낯모르는 사내가, 나의 옷을 벗긴다, 자신이
그 옷 속으로 들어간다.
한 사내가 나의 방 유리창 앞에 서 있다.
바람이 후두둑 머리를 친다, 유리창이 나선형의 금
간다.
그는 덧문을 닫는다, 춥다고 느낀다.
위선만이, 그렇지, 따뜻하지, 체온을 사내에게 넘겨
주며
내 피가 식는다.
부서진 유리 조각들은 한참 뒤에
수도관을 묻은 풀밭에 가서 풀잎들의 발목에 생채기
를 낸다.
띠. 따. 까. 띠. 또……
나는 침묵을 들키지 않으려고
모든 소리들을 사내 앞에 들춘다.

그가 입고 있는 나의 옷이 울고 있다.○

이 시를 읽고 한동안 알 수 없는 회오리 속에 머물렀습니다. 우리는 이런 식의 사랑을 너무나 많이 겪지 않았나요. 서로에게 가 닿고 싶지만 절대 만날 수 없는 사랑의 함정. 소통의 부재. 이러한 소통 부재의 관계는 때로 사랑의 무차별성을 극대화하기도 합니다, 이상한 침입. 내면으로 들어와 교감을 나누는 것이 아니라 주체의 표면에 머물게 되고 마는. 그리고 영영 낯모르는 사내가 되는 것. "위선만이, 그렇지, 따뜻하지, 체온을 사내에게 넘겨주"는 나의 피는 차갑게 식고 금간 유리창의 조각들은 시간이 흘러도 "풀잎들의 발목에 생채기를 내"는 것. "그가 입고 있는 나의 옷이 울고 있"는 것.

내가 목 놓아 우는 것보다, 그가 입은 나의 옷이 운다는 것은 얼마나 더 큰 고통을 상기시키는지, 그 울음의 질감을 저는 이제야 알 것 같습니다.

사랑이 만들어내는 비극이란 때로 조용하게, 더욱 깊은 울음을 조금씩 흘려보낸다는 것을요. 이러한 깊은

○ 「쓸데없는 추억거리 중」, 『매음녀가 있는 밤의 시장』, 세계사, 1991, 213쪽; 『이연주 시전집 1953-1992』, 최측의농간, 2016, 49쪽.

사랑의 힘은 현실에서 벌어지는 수많은 부조리를 그냥 넘겨버릴 수 없지 않았을까…… 그렇지만 조금 더 힘을 내서 같이 아파하며 사랑의 힘을 나누었으면 어땠을까요…….

선배님의 갑작스러운 죽음은 우리를 너무나 아프게 합니다. 아셨나요. 남겨진 자들의 그리워하는 힘이 이렇게나 세다는 것. 우리는 선배님의 아름다운 슬픔 속으로 빨려 들어갑니다. 선배님의 시들을 읽으면서, 선배님의 어쩔 수 없는 마지막 선택을 헤아리면서요.

「인큐베이터에서의 휴일」이라는 시에서는 집 벽에 걸린 사진 속의 자살자가 "건강해지고 싶"다고 말하는 부분이 나옵니다. 위장병이 도진 '나'와 사진 속 자살자의 말이 겹쳐져 읽히는데요, 뒤를 잇는 "네 친구가 되고 싶다"라는 문장은 묘하게 이중적 의미를 풍깁니다. 자살자의 친구가 되고 싶다는 것—자살자의 친구가 되어 자살자를 살게 하고 싶은 마음, 그리고 건강해지고 싶은 자살자. 결국 삶에 대한 애틋한 마음과 함께, 반대로 자살하고 싶은 욕망도 들어 있습니다. 자살하고 싶은 마음과 자살하고 싶지 않은 마음 사이에서 흔들리는 것들.

염결한 자에게는 염결한 세상이 필요하고, 우리는 그러한 세상을 만드는 일을 게을리 할 수 없습니다.

선배님.

어떤 선배 시인이 저에게 “너는 이연주 시인을 닮았네. 인상도, 시도”라고 말해주셨어요. 그때 저는 뿔테 안경을 쓰고 있었고, 부조리와 모순을 고발하는 적나라하고 공격적인 에너지를 드러내는 신인이었습니다. 거칠고 불편했던 제 시는 아무래도 조금씩 달라지고 있지만, 고통을 바라보는 예민한 감수성만큼은 지키려 하고 있습니다. 우리가 원하는 세계는 우리가 앞으로 만들어 가야 한다는 것을 잊지 않습니다. 사랑을 제대로 할 줄 아는 사람만이 좋은 세계를 조금씩 불러들일 수 있다는 것. 쓰이지 않은 시들이 그러한 사랑을 더욱 크고 넓게 만들어가리라는 것.

사랑을 하는 자의 조용한 힘을 떠올리며…… 선배님

이 계신 어딘가에, 이 편지가 가 닿기를. 간절함을 담아 보냅니다.

이연주

(1953~1992)

○

1953년 전라북도 군산에서 태어났다.

1990년《월간문학》에 발표한 시「죽음을 소재로 한 두 가지의 개성 1」외 1편으로 신인상을 수상했고, 이듬해《작가세계》가을호에「가족사진」외 아홉 편의 시를 발표하며 등단했다. 그해에 첫 시집『매음녀가 있는 밤의 시장』을 출간했다. 다음 해 10월, 생을 마감했다.

1993년 유고 시집『속죄양, 유다』가 출간되었다. 타계한 지 24년 만인 2016년, 두 시집에 실린 작품을 포함해 동인지《풀밭》에만 발표한 24편의 시 등 유작 167편을 모아『이연주 시전집 1953-1992』가 출간되었다.

여성이라는 예술

1판 1쇄 인쇄 2019년 1월 16일
1판 1쇄 발행 2019년 1월 29일

지은이 강성은, 박연준, 백은선, 이영주
펴낸이 김영곤
펴낸곳 아르테

문학사업본부 본부장 원미선
문학콘텐츠팀 이정미 허문선
문학마케팅팀 정유선 임동렬 조윤선 배한진
문학영업팀 권장규 오서영
홍보팀장 이혜연
제작팀장 이영민
이미지 제공 GettyImages/게티이미지코리아

출판등록 2000년 5월 6일 제406-2003-061호
주소 (우 10881) 경기도 파주시 회동길 201(문발동)
대표전화 031-955-2100 팩스 031-955-2151

ISBN 978-89-509-7921-8 (04810)
978-89-509-7924-9 세트